L'AGENT
ATEMPOREL

DU MÊME AUTEUR

K.-H. SCHEER
et CLARK DARLTON

L'AGENT
ATEMPOREL

PERRY RHODAN — 121

FLEUVE NOIR

Titres originaux
RÜCKKEHR IN DIE GEGENWART
STOSSTRUPP IN ZEIT UND RAUM

Traduit et adapté de l'allemand
par A. J. THALBERG

©1996 Éditions Fleuve Noir
ISBN 2-265-05390-2

PROLOGUE

Mai 2404. L'empire fondé par Perry Rhodan connaît une ère de paix. Les principales puissances qui menaçaient l'Empire solaire et la Voie lactée ne sont plus un danger. Perry Rhodan, qui a découvert par hasard une chaîne de transmetteurs géants menant à la nébuleuse d'Andromède, se heurte aussitôt aux peuples asservis par les maîtres de la Nébuleuse, les mystérieux Maîtres Insulaires.

Après l'échec d'une offensive des Maahks contre la Galaxie, Perry Rhodan prend la tête d'une expédition vers Andromède. L'état-major terrien, renforcé par le Halutien Icho Tolot, les mutants de la Milice et de l'O.M.U., établit une base avancée sur Gleam, dans la micronébuleuse Androbêta, dont les Maîtres Insulaires ont été chassés.

Les Maahks, qui occupent Andro-Alpha, l'autre micronébuleuse qui borde Andromède, se révoltent contre les Andromédans. La voie d'Andromède est désormais libre pour les Terriens.

Le 5 janvier 2404, l'Empire solaire entame le sixième cycle de son histoire. L'homme aborde pour la première fois une nouvelle galaxie. Perry Rhodan pénètre dans la Nébuleuse à bord d'un nouveau vaisseau d'une puissance extraordinaire, l'ultracroiseur Krest III.

Près d'Andromède, le vaisseau solaire découvre une immense île spatiale, un chantier astronautique dirigé par Kalak. Dernier survivant des Ingénieurs intergalactiques, massacrés par les Maîtres Insulaires, celui-ci s'allie aux Terriens, qui l'aident à retrouver les survivants de son peuple, et les guide jusqu'au cœur de la Nébuleuse, à la recherche des Maîtres Insulaires.

Le Krest III *entre aussitôt en contact avec les Téfrodiens. Ce peuple, dont la ressemblance avec les Terriens est stupéfiante, est chargé de surveiller le Centre d'Andromède, déclaré Zone interdite par les Maîtres Insulaires. Pendant ce temps, les Maahks d'Andro-Alpha lancent une grande offensive contre la Nébuleuse.*

Projetés en 49 988 av. J.-C. par le transmetteur temporel de Vario, les hommes du Krest III *assistent à la fin de l'Impérium de la Première Humanité, dont la planète mère, Lémur, n'est autre que la Terre ! Pour échapper aux Halutiens, les Lémurs se réfugient par le transmetteur galactique géant des Sextuplées dans la nébuleuse d'Andromède. Pourchassé par les agents temporels des Maîtres Insulaires, présents dans tout l'Impérium lémurien, Perry Rhodan doit impérativement rejoindre Andromède pour pouvoir regagner son époque. Il décide d'envoyer les mutants Rakar et Tronar Woolver sur Kahalo pour capturer un agent temporel.*

PREMIÈRE PARTIE

RETOUR DANS LE PRÉSENT

CHAPITRE PREMIER

L'appareil se cabra sous la violence du choc. L'écran protecteur s'illumina, masquant pendant quelques secondes l'image de la planète vers laquelle ils fonçaient.

Sur son écran, Rakar observait les innombrables échos des navires ennemis. Il ferma les yeux pour mieux se concentrer.

Près de lui, Don Redhorse lança d'une voix rauque :

— Bon sang, faites quelque chose, Woolver ! Ils nous ont pris sous un feu croisé et l'écran ne peut pas supporter plus de cinq tirs au but !

Le mutant ne perçut sa voix que de manière confuse. Son esprit explorait le réseau serré d'ondes électromagnétiques tissé entre la planète et les navires ennemis. Il aurait été trop risqué pour lui de se lancer à l'aventure en utilisant comme moyen de transport la première communication hypercom venue. Il valait mieux qu'il s'en tienne au rendez-vous fixé avec Tronar.

Une deuxième décharge de radiant l'arracha presque à son siège. Le souffle coupé par les sangles de son fauteuil, il entendit Redhorse crier :

— Je vous donne encore trente secondes, Woolver. Si vous n'avez rien trouvé d'ici là, nous faisons demi-tour !

Le Coureur d'ondes ne se laissa pas troubler. Son extraordinaire faculté paranormale, qui faisait de lui l'un des meilleurs mutants de l'Empire solaire, était tendue à l'extrême.

Soudain, il ressentit très nettement l'émergence d'une ligne de force très intense dans le fouillis des tracés d'ondes qui environnaient le chasseur. Rakar remonta jusqu'à sa source. En une fraction de seconde, il constata que le faisceau d'ondes provenait de la planète, d'un endroit situé à quatre cents kilomètres du point de rendez-vous.

Sans avertir Redhorse, il commença à se dématérialiser. Sa haute silhouette au torse massif prit une teinte laiteuse et disparut totalement en moins d'une seconde.

— Plus que dix secondes ! cria le major.

Le Cheyenne lança un coup d'œil vers son compagnon et s'aperçut que le mutant avait disparu. Il étouffa un juron et tira sur la manette de commandes en accélérant à fond.

Déroutés par la manœuvre, ses adversaires réagirent trop tard. Les systèmes de tir s'ajustèrent à la nouvelle position de leur cible, mais le chasseur terrien était déjà à un demi-million de kilomètres de là.

Don Redhorse attendit d'avoir parcouru deux unités

astronomiques pour appeler l'autre chasseur, piloté par Melbar Kasom. Comme lui, l'Étrusien avait rebroussé chemin après avoir largué Tronar Woolver.

Les deux chasseurs étaient intacts. Grâce à leurs pilotes hors pair, ils avaient réussi à traverser le barrage établi par les navires lémuriens.

Rakar se retrouva dans une vaste halle équipée de plusieurs centaines de terminaux hypercom. Les rangées de pupitres étaient toutes occupées par des Lémuriens. Des militaires entraient et sortaient sans cesse par une grande porte à double battant située au centre de l'un des murs.

Maintenant, il ne lui restait plus qu'à retrouver Tronar. Le déflecteur de son spatiandre, qui le rendait invisible, ne lui servirait pas à grand-chose pour sortir. La porte constituait un goulot d'étranglement qu'il aurait du mal à franchir sans heurter un Lémurien.

Il s'approcha prudemment de la porte en faisant attention aux militaires qui circulaient, pressés, tout autour de lui. Il évita de justesse une ordonnance et se réfugia dans un renfoncement situé à cinq mètres de l'issue.

Il patienta quelques minutes et se lança en courant derrière un groupe de trois Lémuriens qui sortaient. Il se retrouva dans un hall d'entrée qui donnait sur une rue bordée par un bois. Le trafic des glisseurs était aussi intense que celui des techniciens dans le bâtiment.

Le mutant s'éloigna d'une vingtaine de mètres pour

s'orienter. À part la route et le bâtiment, il n'y avait aucune autre construction à l'horizon. Soudain, une voiture obliqua vers lui et ralentit pour se garer. Machinalement, Rakar recula d'un pas.

Malheureusement, un officier lémurien passait derrière lui au même moment. L'homme, bousculé, poussa un cri et sortit aussitôt son radiant par réflexe. En voyant son manège, d'autres Lémuriens s'arrêtèrent à leur tour.

Le bras tendu, l'officier se rapprocha de l'endroit où il avait heurté l'écran invisible. Il prenait l'affaire au sérieux et ordonna aux soldats qui l'entouraient de former un cercle autour de l'endroit suspect.

Le Coureur d'ondes, qui s'était éloigné de quelques pas, pesta. Il aurait dû faire plus attention. Il enclencha son générateur antigrav et s'éleva doucement en l'air. Il patienta jusqu'à ce que l'attroupement se soit dispersé. Pour cette fois, il s'en sortait à bon compte.

Il alluma son micropropulseur et mit le cap vers le nord. Il laissa passer deux ou trois kilomètres et se concentra pour entrer en contact avec son frère. Les jumeaux de Chrystal n'étaient pas télépathes, mais le lien empathique qui les unissait leur permettait de percevoir, indépendamment de la distance, leurs émotions réciproques.

D'après ce qu'éprouvait Tronar, un mélange de satisfaction et d'ennui, il devait attendre que son frère s'annonce au point de rendez-vous.

Rakar monta à deux cents mètres d'altitude et poussa son propulseur. Le spatiandre stabilisa sa vitesse à trois cents kilomètres heure. La plaine couverte d'herbes hautes, à peine entrecoupée par quelques bosquets, s'étendait à perte de vue.

Le paysage ne changea qu'une demi-heure plus tard, après qu'il eut parcouru un peu plus de cent cinquante kilomètres. Le point de rendez-vous ne devait plus être très loin.

Soudain, les pointes de majestueuses pyramides d'un rouge doré émergèrent à l'horizon. Rakar en compta bientôt six.

Le spectacle était magnifique.

Le mutant soupira. Les pyramides de Kahalo étaient aussi belles dans ce présent dont ils étaient prisonniers qu'à l'époque lointaine d'où ils venaient, à cinquante mille ans dans le futur…

CHAPITRE II

À bord du *Krest III*, personne ne voulait dramatiser la situation, mais la marge de manœuvre de Perry Rhodan était plus que réduite. Leur plan n'était qu'une tentative de la dernière chance.

Le piège dans lequel le vaisseau amiral de l'Empire solaire avait été amené par les Maîtres Insulaires avait fonctionné à la perfection — ou presque. Happé par le transmetteur temporel galactique de Vario, l'ultracroiseur et tout son équipage avaient échappé de justesse à la destruction programmée par les Andromédans.

Dans ce passé vieux de cinq cents siècles, les Lémuriens, les ancêtres directs des Terriens, luttaient avec acharnement pour sauver les débris de leur empire. Plus rien ne pouvait stopper l'offensive sauvage des Halutiens.

Isolé du futur, le *Krest III* l'était aussi d'Andromède, la nébuleuse où se trouvait le transmetteur temporel. Vario était le seul accès qui permettrait à Rhodan et à son équipage de rejoindre leur époque. L'accès au transmetteur galactique géant des Sextuplées, contrôlé par les six pyramides de Kahalo, était bloqué par la flotte lémurienne. Véritable « sortie de secours » de la Voie lactée et dernier espoir des Lémuriens, le transmetteur géant était contrôlé par un anneau invincible de plusieurs dizaines de milliers de navires. Même le *Krest III*, véritable titan de l'espace, n'avait aucune chance de le franchir de force.

Fétu de paille dans ce conflit galactique, le *Krest III* n'avait pu s'assurer jusqu'à présent que d'un seul appui. Celui des Ingénieurs intergalactiques de l'île spatiale MA-Génial, que les Terriens avaient sauvés in extremis. L'immense chantier naval de quatre-vingt-douze kilomètres de diamètre avait été placé en orbite autour du plus gros des deux soleils du système Redpoint. Tout près de MA-Génial, la sphère étincelante de deux kilomètres et demi de diamètre du *Krest III* s'était également placée à l'abri de la géante rouge, située à deux mille six cents années-lumière seulement de Kahalo.

L'état-major solaire n'avait pas progressé d'un pouce pour régler son véritable problème. Maintenant que les Maîtres Insulaires connaissaient l'origine terrienne du *Krest III*, ils allaient mettre tout en œuvre pour s'attaquer à la racine du mal. Ni Perry Rhodan, ni Atlan, ni le cerveau P de l'ultracroiseur n'avaient encore trouvé de solution pour alerter l'Empire solaire de la menace qui pesait sur lui.

Le *Krest III devait* trouver une solution pour rejoindre le futur. La tension qui régnait à bord du vaisseau montrait bien à quel point chacun était conscient de l'urgence de la situation. La route du futur passait obligatoirement par Kahalo. La flotte lémurienne n'était malheureusement pas le seul obstacle qui rendait le transmetteur inaccessible pour les Terriens. Perry Rhodan avait réussi à démasquer plusieurs agents temporels des Maîtres Insulaires, qui agissaient aux postes clés de l'empire de Lémur.

En tant que tamrat, l'agent temporel des Andromédans basé sur Kahalo, Frasbur, avait autorité sur toutes les forces spatiales rassemblées autour du verrou galactique.

Compte tenu du fait que les Maîtres Insulaires et leurs agents étaient au courant de l'existence des mutants solaires, la probabilité de succès du meilleur plan d'action proposé par le cerveau P du *Krest III* ne dépassait pas quarante pour cent.

Les choses en étaient là quand les jumeaux Woolver avaient proposé leur plan à Perry Rhodan. Le Stellarque l'avait jugé trop risqué, mais les mutants avaient insisté pour tenter leur chance. Ils voulaient rejoindre Kahalo grâce à leurs facultés paranormales, capturer Frasbur si c'était possible ou, à défaut, tenter de rejoindre le futur pour alerter la flotte solaire rassemblée en bordure d'Andromède.

L'évaluation du cerveau P donnait un peu plus de cinquante pour cent de chances de réussite à l'opération. À contrecœur, Perry Rhodan avait fini par donner son feu vert. Dotés de l'équipement le plus moderne et de trois mois de rations de survie, Tronar et Rakar Woolver s'étaient embarqués dans les chasseurs pilotés par Don Redhorse et Melbar Kasom qui devaient les rapprocher le plus possible de Kahalo.

Quoique mouvementée, la première partie de l'opération s'était déroulée correctement. Les deux mutants étaient à pied d'œuvre.

Rakar sentait que son frère n'était plus loin. Tronar, qui savait que Rakar approchait, était plus nerveux.

Le mutant descendit lentement et se posa près d'un petit bois. Il vérifia soigneusement sur son biodétecteur que personne ne se trouvait dans les parages et éteignit son déflecteur. Le Chrystallien apparut au grand jour. Un bruit de branchages cassés retentit derrière lui. Rakar se retourna.

L'homme qui se trouvait avait la même taille, la même peau couleur de bronze et le même visage.

— Il était temps que tu arrives ! s'exclama Tronar.

Rakar lui renvoya un sourire ironique.

— Si tu avais dû affronter les mêmes difficultés, tu ne serais pas prêt d'être là, crois-moi.

— Assez attendu, repartit Tronar. Nous y allons ?

— Minute, j'ai un petit creux ! répondit Rakar en posant la main sur son ventre. Toi, tu te reposes depuis une heure. J'ai faim, moi.

Les deux Coureurs d'ondes décidèrent de s'accorder une petite pause. Pendant qu'ils avalaient leur ration, ils se racontèrent ce qui leur était arrivé depuis leur arrivée sur Kahalo.

Tronar n'avait eu aucun mal à atteindre le point de rendez-vous. Il s'était mis en phase sur une balise automatique située à cinquante kilomètres au sud des pyramides rouges. Il n'avait pas vu un seul Lémurien.

Rakar lui raconta ce qui lui était arrivé près de la station de transmission. Tronar fut d'accord avec lui pour estimer que l'incident resterait sûrement sans conséquences. Les Lémuriens avaient sûrement déjà oublié ce qui s'était passé. De plus, Rakar n'avait laissé aucune trace susceptible de mettre les Lémuriens sur leur piste.

— Bien, alors nous pouvons passer à la phase 2, dit Rakar en se levant. Il va falloir pénétrer dans la station de contrôle des pyramides et essayer de trouver un moyen d'accéder au poste souterrain de Frasbur.

— « Phase 2 », répéta Tronar, pensif. Comme si nous avions un plan bien précis, comme si nous savions à l'avance ce que nous allons faire minute par minute… En réalité, avons-nous un plan ? demanda-t-il en relevant la tête vers son frère.

Rakar l'observa sans rien dire, puis il secoua la tête.

— Non, nous n'avons rien, même pas une esquisse de plan.

Ils atteignirent les limites de l'immense base lémurienne au moment où Orbone, le soleil de Kahalo, s'enfonçait sous l'horizon. L'éclat des six pyramides, haute chacune d'un demi-kilomètre, était presque irréel. Tout autour, le sol de l'astroport était couvert d'un revêtement uniforme de plastociment gris-blanc.

Quand l'empire de Lémur était encore en paix, les

navires lémuriens, posés sur la planète, donnaient l'impression que les pyramides étaient naines. Aujourd'hui, toutes les unités lémuriennes capables de voler étaient dans l'espace pour boucler hermétiquement le système. Un tel rassemblement de forces finirait bien par attirer l'attention des Halutiens. Jusqu'à présent, le secret de Kahalo et de la porte galactique avait été préservé. Le jour où les ancêtres d'Icho Tolot le découvriraient, la disparition de l'empire de Lémur ne serait plus qu'une question de semaines.

Rakar était silencieux. Il regardait les pyramides sans les voir. Il avait sous les yeux l'image de la base telle qu'elle serait dans cinquante mille ans. L'astroport couvert d'herbes, les bâtiments disparus... Seules les pyramides garderaient tout leur éclat.

Les Halutiens n'avaient jamais attaqué Kahalo, ou leur assaut avait été repoussé et ils n'étaient jamais revenus. C'était la seule raison qui pouvait expliquer que les six monuments et la station de contrôle du transmetteur géant étaient restés intacts le jour où les Terriens les découvrirent et les utilisèrent pour tenter le grand saut vers la Nébuleuse d'Andromède, la grande voisine de la Voie lactée.

Le mutant revint à la réalité. Parmi tous les bâtiments répartis en bordure de l'astroport, qui devait mesurer une cinquantaine de kilomètres de diamètre, il n'eut aucun mal à identifier le poste principal. Les habitudes des Lémuriens ne différaient guère de celles des Terriens, leurs lointains descendants. Il reconnut aussi l'hôpital, les cubes gris, sans fenêtres, des stations de détection avec leurs excroissances bizarres, autant d'antennes braquées sur l'infini. Les bâtiments les plus extérieurs, des coupoles compactes, abritaient certainement les batteries de défense planétaire de l'astroport. Entre les silhouettes colossales des bâtiments principaux s'alignaient rigoureusement des myriades de petites constructions. Même en temps de paix, Kahalo devait être une base très importante, sans doute le principal point d'appui lémurien dans le Centre galactique.

Suspendus à cinq cents mètres d'altitude, les deux mutants se demandaient comment ils pourraient trouver l'entrée du bunker de Frasbur dans ce dédale. Les accès du terminal devaient être protégés par des systèmes de sécurité infiniment plus efficaces que ceux des Lémuriens, qui ne le cédaient pourtant en rien à ceux de l'Empire solaire. L'agent des Maîtres ne se laisserait pas surprendre une deuxième fois. Quinze jours plus tôt, les Chrystalliens lui avaient rendu une visite opinée après avoir été envoyés sur Kahalo par un faisceau hyperonde du *Krest III*.

Frasbur avait certainement fait le lien entre la conversation qu'il menait avec l'ultracroiseur et l'arrivée des deux mutants. Rakar était certain qu'il n'existait plus aucune possibilité d'établir une transmission directe avec la station souterraine. Au-delà de ces précautions élémentaires, Frasbur avait même dû dresser un piège pour les capturer s'ils revenaient. Du moins, c'est ce que Rakar, lui, aurait fait.

Il fallait qu'ils trouvent un autre accès, mais cela prendrait du temps. Ils allaient devoir passer les bâtiments au peigne fin les uns après les autres.

Cela n'allait pas être simple, d'autant plus que Frasbur n'était pas n'importe qui. C'était l'un des cent soixante et un tamrats de l'empire lémurien. En tant que tamrat de Lémur même, la future Terre, il était l'un des cinquante hommes les plus puissants de l'empire de la Première Humanité. Très protégé, ses fonctions officielles l'obligeaient néanmoins à disposer à apparaître en public. L'accès à la station souterraine devait se trouver près de ses bureaux.

Les seuls navires présents sur l'astroport étaient des courriers. Les Coureurs d'ondes purent observer le complexe pendant une demi-heure avant que la nuit ne tombe complètement. L'activité au sol, elle, était intense. Des files ininterrompues de glisseurs se succédaient sur les principaux accès de l'astroport.

— Une vraie fourmilière, dit Tronar.

— Ils luttent pour sauver les débris de leur empire, repartit son frère.

— Tu as une idée de l'endroit où il faut commencer ?

— Non, posons-nous juste en dessous. J'ai besoin de réfléchir.

Les deux mutants se posèrent en douceur. Rakar gardait le silence. Absorbé dans ses pensées, il ne remarqua pas tout de suite le renforcement du petit fourmillement qui lui indiquait qu'ils se trouvaient dans un champ électromagnétique. Une précieuse seconde s'écoula avant qu'il réagisse.

Il poussa un cri d'alerte pour Tronar et enfonça le contact de son antigrav d'un geste brusque.

Par chance, Tronar réagit assez vite.

— Que se passe-t-il ? s'inquiéta-t-il, le souffle court, dès qu'il eut rejoint son frère.

— Tu n'as rien senti ?

— Non.

— Je suis entré dans un champ ?

— Quel champ ? s'étonna Tronar.

— Probablement de l'infrarouge.

— Un champ de protection, alors.

— Sûrement.

— Mais alors, il devrait se déclencher au passage de chaque glisseur, le moindre oiseau qui se pose sèmerait la panique ! Tu ne crois quand même pas que…

— Chaque glisseur peut avoir un plan de route très précis. Le cerveau P de la base peut très bien suivre chacun d'eux en temps réel. Quant aux oiseaux… Je ne sais pas si tu l'as remarqué, mais il n'y a pas d'oiseaux sur Kahalo !

CHAPITRE III

Les rapports entre Frasbur, tamrat de Lémur et son valet, Korpel, étaient très bizarres. Frasbur n'avait aucune idée de ce que Korpel pensait de lui. De son côté, il ressentait un mélange complexe d'admiration, de répulsion et de méfiance à l'égard du gnome.

Korpel mesurait à peine cinq pieds de haut. Sa tête arrivait tout juste au milieu de la poitrine du Lémurien. Ses membres et son corps, plutôt graciles, étaient déformés par une grosse bosse latérale au dos et un crâne d'une largeur démesurée. Ses yeux noirs, profondément enfoncés, émergeaient à peine des mèches broussailleuses de cheveux noirs qui lui masquaient le front. Sa bouche aux lèvres en lame de couteau paraissait en permanence tordue par un rictus démoniaque. Son nez, disproportionné, descendait jusqu'au milieu de la bouche. N'importe quel être humain aurait immédiatement comparé Korpel à une gargouille…

Pour couronner son étrangeté, le gnome s'habillait

exclusivement avec des vêtements démodés depuis plusieurs siècles, aux couleurs extrêmement vives. Ses pantalons courts étaient enveloppés de bandes au-dessus des chevilles et ses chaussures se terminaient en pointe relevée. Personne n'avait jamais vu Korpel sans sa cape, fixée par une grosse broche émaillée, et une chemise blanche à ruches. Un pendentif en forme de faucille bringuebalait à la grosse chaîne en or qu'il portait au cou et dont il ne se séparait jamais, même pour dormir.

Personne n'aurait pu lui donner un âge. Il paraissait soixante ans aussi bien que trente. Frasbur se moquait éperdument de l'âge que pouvait avoir son valet. Korpel avait l'esprit acéré et toute la sagesse d'un vieil homme. Une intelligence si brillante qu'elle mettait parfois le Lémurien mal à l'aise.

Les Maîtres Insulaires le lui avaient « donné » au moment où ils avaient décidé de l'envoyer comme agent temporel — « atemporel » serait plus exact — dans le passé de la Galaxie. En voyant Korpel, la première fois, Frasbur avait été tenté de le renvoyer sur-le-champ. Malheureusement, il savait que c'était impossible. Le gnome était un présent des Maîtres et c'était le genre de cadeau qui ne se refuse pas.

Dès le début, le Lémurien avait suspecté Korpel d'avoir pour mission essentielle de le surveiller. Il s'était également demandé longtemps si le gnome n'était pas un androïde. Comme il prenait régulièrement ses repas et qu'il paraissait avoir les mêmes obligations physiologiques qu'un humain, Frasbur s'était dit que personne n'aurait pu avoir l'idée de concevoir un androïde aussi grotesque et si mal habillé.

Ce qui le gênait le plus chez son valet, ce n'était pas son aspect mais son insolence. En tant que tamrat de Lémur, Frasbur était habitué à ce que l'on s'adresse à lui avec le titre de « seigneur » ou d'« altesse ». Korpel ne l'appelait ainsi qu'une fois par semaine au mieux, y compris en public, et le plus souvent lorsqu'il lui adressait une remarque à l'ironie mordante. Korpel savait qu'il avait été choisi par les Maîtres Insulaires pour cette mission au même titre que Frasbur, qu'il considérait d'égal à égal.

Frasbur et son « fou » se trouvaient dans une petite pièce confortablement installée, loin sous la surface de Kahalo, juste à côté des vastes salles de la base secrète du Lémurien. Sur l'un des murs, un vaste écran semblable à une baie vitrée montrait la partie sud de l'astroport planétaire.

Enfoncé dans un grand fauteuil, Frasbur fronça les sourcils.

— Jusqu'à présent, ton hypothèse à fait chou blanc, lança-t-il à Korpel.

— Quand bien même ! protesta le gnome. Dans cette affaire, il faut que nous soyons d'une prudence extrême. Rien n'indique non plus que j'ai tort…

— Depuis la tentative de percée des deux chasseurs, reprit le Lémurien en se penchant pour attraper son verre, il n'y a eu que cette alerte à la station 13. Je ne vois pas comment tu peux établir une relation entre les deux événements.

— Il suffit de réfléchir un peu ! grinça Korpel d'un

ton méchant. Les deux appareils étaient terriens, nous en sommes sûrs. Ils ont fait demi-tour assez rapidement. Pourquoi ? Pour larguer quelqu'un ou quelque chose, c'est évident. Même un enfant en déduirait que ce que l'officier a heurté à la station 13 est l'un de ces « quelque chose », rendu invisible, qui nous a été envoyé par Rhodan.

— Avec des « quelque chose », nous n'irons pas loin…, grommela Frasbur.

— Si je ne m'abuse, siffla le gnome, vous avez déjà reçu une visite impromptue, n'est-ce pas ?

Le Lémurien hocha la tête. Il avait gardé un très mauvais souvenir des deux mutants humanoïdes qui avaient fait irruption dans la mémostation. Les deux hommes, si ressemblants qu'il devait s'agir de jumeaux ou de clones, n'étaient pas terriens, il en était sûr. C'était Korpel qui, en analysant l'incident, en avait déduit qu'il s'agissait de mutants capables d'utiliser les ondes comme support de déplacement.

— Dans ce contexte, il vous intéressera sûrement d'apprendre, poursuivit Korpel, que l'officier principal de la station 13 était en communication avec l'amiral qui commande la 4e escadre cinq minutes avant l'incident qui s'est déroulé devant le bâtiment.

Frasbur commençait à croire que le bossu avait peut-être raison. Il avait la désagréable manie de tout lui expliquer a posteriori, après avoir mis en branle toute une série de mesures opérationnelles.

— Donc, si je comprends bien, tu as donné l'ordre à l'amiral Hakhat de nous informer de tout événement bizarre, aussi insignifiant soit-il. Ensuite, tu as fait

28

placer la totalité de l'astroport sous protection infrarouge…

— Aucun risque d'erreur, l'interrompit Korpel en devançant ses pensées. Tous les véhicules lémuriens sont équipés d'un signal de reconnaissance optique.

— Et si les Terriens décident de venir à bord de l'un de nos glisseurs ? objecta l'agent temporel.

— Aucun risque. Pour rester à l'abri, ils doivent éviter d'attirer l'attention. Un glisseur sans personne pour le conduire ne passerait pas inaperçu.

— Pourquoi avoir choisi un champ de détection infrarouge ? Si les Terriens disposent d'un champ d'invisibilité, cela ne servira à rien, reprit Frasbur.

— Il y a deux types de systèmes permettant d'assurer une invisibilité parfaite, soupira le gnome. Le premier repose sur une modification active de l'indice de réfraction de l'objet protégé. Nos ingénieurs l'ont mis au point dans la Nébuleuse il y a seulement moins d'un siècle. C'est une technologie si complexe que les Terriens ne peuvent pas la maîtriser. La deuxième possibilité, basée sur un générateur gravitationnel, se contente de corriger la déviation des rayons lumineux autour de l'objet. Au lieu de renvoyer un rayon correspondant à une matière et une couleur donnés, le projecteur restitue à la lumière les propriétés qu'elle aurait eu en l'absence d'objet. Imaginez un obstacle, un rocher par exemple, dans le lit d'une rivière. L'eau, déviée en amont, se referme en quelque sorte sur l'obstacle après l'avoir contourné. En traçant le flux du fluide, on voit apparaître un tourbillon, un nœud qui signe la présence d'un déflecteur.

Frasbur n'avait aucune notion ni aucun intérêt pour la technique. Il se contentait d'utiliser les extraordinaires appareils des Maîtres Insulaires sans chercher à en comprendre le fonctionnement.

— D'accord, repartit-il. Le champ infrarouge est dévié dès que quelque chose entre dedans, mais il n'est pas arrêté pour autant...

— C'est exact, concéda Korpel. Le projecteur d'invisibilité restaure les rayons déviés. La seule modification qui intervient ne concerne donc pas la propagation de la lumière proprement dite mais sa *vitesse*. Le processus induit un retard dans la transmission du flux électromagnétique...

— Un retard ! s'exclama le Lémurien. Il s'agit au mieux de quelques millionièmes de seconde.

— Un peu moins d'un centième de millionième de seconde, précisa Korpel.

— Et cela suffit ?

— Nos appareils enregistreraient une discontinuité d'un dixième de milliardième de seconde.

— Ah ? Il ne nous reste plus qu'à attendre, alors, conclut Frasbur en reprenant son verre, qu'il vida d'un trait.

Au moment où il le reposait, le petit cube de métal gris mat posé sur la petite table devant lui s'illumina. Ses parois s'effacèrent, laissant la place à une image qui se forma au centre de l'appareil. Frasbur reconnut la zone sud de l'astroport, illuminée par de puissants projecteurs à la lumière bleutée.

— Exactement ce que j'avais prévu ! s'exclama le gnome d'un ton triomphant avant que l'agent temporel ait compris de quoi il s'agissait. Il y a eu un contact dans le champ infrarouge ! La ligne rouge matérialise la trajectoire la plus probable de l'objet qui a touché. Ils sont quelque part au-dessus de l'astroport !

Frasbur grogna. Malgré l'avance technologique de ses systèmes de protection, il détestait avoir affaire à une menace invisible.

*
**

Rakar comprit aussitôt que le champ infrarouge n'avait qu'une raison d'être. Les Lémuriens attendaient quelqu'un et ils voulaient être prévenus de son arrivée.

Il se tourna vers Tronar qui flottait, invisible, près de lui :

— Ils savent que nous sommes là.

Il ressentit la vague d'étonnement qui submergea son frère.

— Mais comment… ? C'est impossible, ils n'ont pas le moindre indice !

— Quand on y réfléchit, si. Nous avons déjà rendu visite à Frasbur une fois. Pour lui, il doit être évident que nous allons faire une deuxième tentative. La route du retour vers Andromède et vers notre époque passe nécessairement par Kahalo et par lui. Deuxièmement, l'incident devant la station de transmission a lieu quelques minutes après la tentative d'approche de nos deux chasseurs. Cela fait beaucoup…

— S'il a entendu parler du passage des Mosquitos…, objecta Tronar.

— Mettons les choses au pire et admettons qu'il

31

sache que nous sommes là.

— Que faisons-nous, alors ?

— Il va falloir attendre qu'un glisseur se présente pour entrer dans la zone de l'astroport. Le champ infrarouge devra forcément accepter son passage sans réagir.

Une autre raison poussait le mutant à attendre, mais il voulait éviter de l'évoquer devant son frère, plus fragile psychologiquement que lui. L'alarme avait déjà été déclenchée par son bref passage dans le champ infrarouge. Il voulait savoir ce que les Lémuriens allaient faire. De là où ils se trouvaient, ils pouvaient observer la quasi-totalité de l'astroport.

Une heure passa sans événement notable. Au-dessus de leurs têtes, le firmament du Centre galactique dispensait une luminosité incroyable, nettement plus forte qu'une pleine Lune sur la Terre. À leurs pieds, les bâtiments du complexe et les voies de circulation étaient de surcroît éclairés par des projecteurs très intenses.

Soudain, Tronar s'exclama à mi-voix :

— Je sens un champ électromagnétique à ondes ultracourtes…

Rakar se concentra. Dans l'ensemble, Tronar était nettement plus réceptif que lui.

— D'où vient-il ? demanda-t-il au bout d'un instant.

— Du nord-ouest, je pense.

— Bien, allons voir de plus près.

Ils descendirent jusqu'à vingt mètres du sol en glissant silencieusement dans la nuit. La source du rayonnement ne devait pas être très loin, car Rakar le perçut rapidement à son tour. Ils s'arrêtèrent au-dessus d'un bâtiment surmonté par une antenne à ondes ultracourtes.

— Nous aurions dû y penser ! dit Tronar en riant.

— J'y avais pensé, repartit Rakar. J'ai épié pendant un bon quart d'heure pour trouver un émetteur radio, mais il n'y avait rien.

— Hum, fit Tronar. Étonnant, non ?

— Oui, au moins autant que l'absence d'oiseaux…

Soulagé, Rakar sentait le fourmillement familier des ondes radio à travers son corps. Presque simultanément, les deux frères activèrent leurs facultés parapsychiques et commencèrent à se dématérialiser.

Ils émergèrent dans une salle de transmission où se trouvait un seul Lémurien. L'homme, qui leur tournait le dos, parlait dans un micro. Il était si occupé qu'il ne les remarqua même pas quand ils sortirent.

Korpel s'était absenté quelques instants de la pièce pour aller jeter un coup d'œil sur les instruments de la mémostation. À son retour, il était tout excité.

— Quel âne bâté ! pesta-t-il.

— Que se passe-t-il ? voulut savoir Frasbur.

— J'avais formellement interdit toute communication depuis la base. Les officiers de Hakhat ont passé trois heures à expliquer à la totalité des bâtiments de l'escadre qu'ils ne devaient à aucun prix nous contacter directement jusqu'à nouvel ordre. Apparemment, il y en a un qui n'avait pas compris…

Agacé, Frasbur se leva d'un bond.

— De quoi parles-tu, à la fin ?

Korpel avait à nouveau agi sans l'avertir. Le tamrat sentait la moutarde lui monter au nez.

— Il serait temps que tu m'expliques ce qui se passe !

Le gnome prit une mine faussement effrayée.

— Tout se déroule de manière à vous assurer une sécurité optimale, seigneur, répondit-il d'une voix plaintive. Il fallait agir vite, sinon il aurait été trop tard. Je n'ai pas eu le temps de vous informer de tout. Vous étiez trop occupé…

Frasbur se sentit coupable. Il avait été injuste avec le gnome.

— Je comprends, fit-il, conciliant. Mais nous avons le temps, maintenant. Qu'as-tu mis en route ?

— Dès le début, lança précipitamment Korpel, il était évident que les Terriens avaient la base pour objectif. Ils veulent découvrir le secret des transitions temporelles. C'est pourquoi j'ai fait placer toutes les installations et l'astroport sous champ infrarouge. Je voulais savoir précisément à quel endroit l'étranger tenterait de pénétrer dans la base.

— Maintenant, tu le sais, non ?

— Le champ a été brièvement occulté à un endroit, oui, confirma Korpel. L'étranger a dû le sentir. Il est reparti sans se poser complètement. Je m'y attendais.

— À quoi ? s'étonna l'agent temporel.

— Au fait qu'il puisse détecter le champ infrarouge. Le chef des Terriens a certainement choisi d'envoyer les deux hommes qui sont déjà venus ici. C'est logique, n'est-ce pas ?

34

Frasbur hocha la tête.

— Ils ont tous deux des facultés spéciales, poursuivit le gnome. Comme ils peuvent voyager sur les ondes, ils sont aussi sûrement capables de les détecter. Donc, les étrangers n'ont pas pu se poser. Que pouvaient-ils faire, dès lors ? Il ne leur restait plus qu'à attendre qu'un appareil se pose pour traverser le champ infrarouge sans attirer l'attention…

— Ah, je comprends. Ainsi, tu savais exactement quand et où ils sont entrés.

— Exactement. J'ai réussi à convaincre l'amiral Hakhat d'interdire toute communication jusqu'à nouvel ordre. N'importe quelle liaison radio ou hyperonde leur permettrait d'entrer sans que nous les remarquions. Le problème, c'est que la relève a eu lieu au début de la nuit. L'un des techniciens qui a pris son poste a établi une liaison avec une unité stationnée dans l'espace.

— Autrement dit, l'interrompit Frasbur, le ou les Terriens sont déjà dans la base.

— C'est ça, grommela Korpel.

L'agent temporel fronça les sourcils et garda le silence pendant plusieurs minutes. Quand il releva la tête, l'air d'indifférence qu'il affichait d'habitude avait fait place à une expression décidée.

— Demande à Hakhat de muter le radio qui a désobéi sur une unité de patrouille !

Un rictus déforma le visage hideux du gnome.

— Excellente idée. Son espérance de vie ne dépassera pas quinze jours. Les Halutiens n'aiment pas nos patrouilleurs… Le problème, c'est que je ne crois pas que l'amiral obéira.

— Alors, cria Frasbur, furieux, dis-lui que je lui ordonnerai personnellement de fusiller le radio s'il ne suit pas tes instructions !

Le tamrat s'apprêtait à sortir, mais Korpel le retint.

— En réalité, ce n'est pas grave. J'avais déjà prévu que cela risquait d'arriver. Si les Terriens ne sont pas des magiciens, ils tomberont quoi qu'ils fassent d'ici trois heures dans un piège dont ils ne pourront pas s'échapper.

Frasbur lui lança un regard pensif et haussa les épaules. Il n'avait plus envie de discuter avec son valet.

*
**

— Où allons-nous, maintenant ? demanda Tronar en regardant autour de lui.

Les deux mutants se trouvaient devant le petit bâtiment où ils s'étaient rematérialisés. Une tour d'une centaine de mètres de haut, illuminée par les projecteurs, s'élevait à leur droite.

— Nous pourrions commencer par là, proposa Rakar en montrant la construction à son frère. Ce qu'il nous faut, c'est un indice pour retrouver Frasbur. Rien ne doit nous échapper. Il faut épier les conversations, lire tous les panneaux…

— Et surtout éviter de nous faire repérer par les Lémuriens, rappela Tronar en grommelant.

— Évidemment.

La tour possédait deux entrées. Le portail qui leur faisait face s'ouvrait sur une vaste halle où débou-

36

chaient plusieurs puits antigravs. Un robot massif et immobile était chargé de contrôler l'entrée. Les Coureurs d'ondes durent attendre qu'un Lémurien entre pour pénétrer dans le bâtiment.

Moins de cinq minutes plus tard, ils commençaient à examiner les panneaux lumineux qui figuraient près des puits antigravs. Les noms des différents départements s'affichaient en lettres colorées. L'écriture des Lémuriens, très proche du téfroda, n'avait aucun secret pour eux. Sur l'un des panneaux d'information, une annonce écrite en rouge attira immédiatement leur attention.

Rakar avait à peine lu les premiers mots qu'il sut qu'ils avaient eu de la chance. L'annonce convoquait « tous les officiers supérieurs de la base à une réunion où le tamrat Frasbur les informerait des dernières décisions stratégiques concernant la guerre ». Le rendez-vous était fixé à l'issue de la « période médiane » dans le hall d'entrée du bâtiment 243.

Rakar sentit l'excitation de son jumeau.

— Nous l'avons trouvé ! s'exclama Tronar.

— À condition que nous trouvions le bâtiment 243 à temps, rappela Rakar pour modérer son enthousiasme.

— Il nous reste combien de temps ? s'enquit Tronar.

— Environ cinq heures.

— Comment le sais-tu ?

— Nous avons assisté à la dernière relève, il y a un peu plus de trois heures, expliqua calmement Rakar. Le fait qu'ils parlent d'une « période médiane » indique qu'il y a trois tours de garde par jour. D'après ce dont je me souviens, Kahalo tourne sur elle-même en un peu plus de vingt-quatre heures. Chaque période dure donc à peu près huit heures, à une demi-heure près.

Les deux frères firent le tour du hall. Au milieu du mur opposé, ils découvrirent trois chiffres lémuriens en lettres dorées. Comme l'écriture lémurienne se lisait de droite à gauche, Rakar épela successivement :

— Un, six, sept.

— Cela fait quoi, en système décimal ? demanda Tronar.

Les Lémuriens utilisant le système duodécimal, où « 12 » remplace « 10 », le chiffre « 1 » des centaines ne correspondait pas à cent mais à cent quarante-quatre. Le « 6 » des dizaines n'indiquait pas soixante mais soixante-douze. Quant au « 7 », il correspondait à sept dans les deux systèmes.

— 223, répondit aussitôt Rakar.

Il se retourna et effectua la même conversion pour le chiffre du bâtiment où les officiers lémuriens étaient convoqués.

— 243, c'est-à-dire 339 en système décimal, annonça-t-il. Si tous les bâtiments sont aussi bien signalisés que celui-ci, nous ne devrions pas avoir trop de mal à le localiser.

Le Chrystallien pressa son frère en voyant un officier lémurien sortir de l'un des puits antigravs.

— Dépêchons-nous.

Comme ils s'y attendaient, le système de numérotation des bâtiments de la base de Kahalo était parfaitement logique, si bien qu'il ne leur fallut qu'une demi-heure pour identifier celui où Frasbur allait tenir sa conférence. C'était un gros bunker comptant une dizaine de voies d'accès. Une seule d'entre elles conduisait à un hall.

Les deux mutants s'installèrent sur le toit, dans un recoin où personne ne risquerait de les surprendre. S'ils avaient vu juste, il leur restait encore quatre heures à attendre.

Ils échangèrent quelques mots. Tronar affirma qu'il était trop impatient pour pouvoir dormir. Dix minutes plus tard, Rakar lui posa une question qui resta sans réponse. Tronar dormait à poings fermés.

Rakar se cala du mieux possible et s'endormit à son tour.

CHAPITRE IV

Quand il se réveilla, une bande argentée sur l'horizon annonçait le lever du soleil. Il se leva en grimaçant pour déplier ses longues jambes et s'approcha du bord du toit. Deux glisseurs étaient déjà garés près de l'entrée qui s'ouvrait sur le hall. Un troisième s'approchait rapidement.

Tronar, qui s'était réveillé avant lui, le rejoignit.

— Les premiers sont arrivés il y a dix minutes, expliqua-t-il. En comptant les quatre officiers qui arrivent, il y en a onze en tout jusqu'à présent.

— Allons-y, décida Rakar.

Ils se laissèrent glisser le long de la façade. Un quatrième glisseur approchait. Plus grand que les autres, il transportait neuf officiers. Les Lémuriens descendirent en discutant. Isolés par leur écran protecteur, les deux mutants ne pouvaient malheureusement pas les entendre.

Dans le hall, les officiers attendaient debout, en petits groupes.

— Nous devrions les écouter, suggéra Tronar.

— Tu as raison, mais soyons très prudents.

Ils déconnectèrent leur écran à regret. Leur seule protection reposait désormais sur les déflecteurs. Si quelqu'un s'avisait de tirer sur eux, ils seraient sans défense.

Le hall se remplissait. Pour limiter les risques d'être heurtés par quelqu'un, les jumeaux durent se retirer derrière une colonne.

Les officiers, qui commençaient à s'impatienter, devaient tous être là. Rakar et Tronar virent soudain arriver un personnage qu'ils connaissaient bien depuis leur arrivée dans la Voie lactée du passé : l'amiral Hakhat en personne ! Il s'engouffra dans un puits antigrav, aussitôt imité par les officiers de la base.

Pour les Coureurs d'ondes, c'était une catastrophe. Comment allaient-ils pouvoir descendre avec toute cette bousculade ? Une nouvelle collision avec un Lémurien aurait cette fois des conséquences désastreuses. Les systèmes de sécurité ne fermeraient pas les yeux une deuxième fois sur un tel incident.

Tronar lança un regard insistant à son frère. Rakar analysait de nouveau la situation.

Pour quelqu'un qui s'attendait à une irruption ennemie — pourquoi aurait-il fait protéger la base de Kahalo par le champ infrarouge, sinon ? —, Frasbur paraissait étrangement désinvolte. La convocation à la conférence aurait pu être nettement plus discrète. Rakar essaya de se mettre dans la peau de l'agent temporel. Qu'allait-il faire pour essayer de les capturer ? Se fier à ses services de sécurité ou leur tendre un piège ? La réponse était évidente. L'un n'empêchait pas l'autre. Formé à l'école des Maîtres Insulaires, Frasbur devait être habitué à pratiquer la stratégie de l'araignée. Quelque part, il avait tendu une toile où les mutants solaires allaient s'engluer.

Cette conférence n'était-elle qu'un appât destiné à les prendre au piège ?

Rakar conclut que le risque était bien réel. Ils ne devaient pas s'y risquer tous les deux à la fois.

— L'un de nous doit y aller d'abord, expliqua-t-il à Tronar.

Grâce au lien empathique qui les unissait, l'autre serait immédiatement alerté si quelque chose tournait mal.

— Cela me semble aussi préférable. J'imagine que je suis volontaire pour descendre pendant que tu te tournes les pouces ?

— Tout juste, répliqua Rakar.

— Bon, qu'est-ce que je dois faire ?

— Tu écoutes ce que Frasbur va dire. N'oublie pas que toute cette mise en scène cache peut-être un piège. Garde les yeux ouverts. Si tu t'aperçois qu'ils ont mis en place un champ de détection pour les déflecteurs, tu prends la poudre d'escampette. D'accord ?

— Et s'il ne se passe rien ?

— Tu attends la fin de la conférence et tu m'envoies un bref signal par minicom.

— C'est risqué, objecta Tronar. Ils risquent de le détecter.

Rakar n'était pas aussi pessimiste. Le système de sécurité enregistrerait peut-être l'impulsion, mais elle serait trop faible et trop brève pour que les Lémuriens puissent localiser précisément l'appel.

Les deux mutants s'étaient mis d'accord quand ils réalisèrent soudain que le brouhaha du hall avait disparu.

— Dépêche-toi ! lança Rakar. Le dernier groupe est en train de partir !

Tronar s'élança, s'efforçant de dissimuler son inquiétude. Mais Rakar était tout aussi anxieux que lui. Il vit disparaître son frère dans le puits antigrav avec un serrement de cœur.

L'attente commençait.

Une chasse à l'homme !

Cela faisait longtemps que Korpel n'avait plus éprouvé une telle joie. En réalité, les Maîtres Insulaires ne l'avaient affecté à Frasbur que pour une seule et unique raison. Le gnome était issu d'une planète située dans le Centre d'Andromède dont, à quelques rares exceptions près, les Maîtres avaient exterminé toute la population. Korpel avait échappé au massacre pour une seule et simple raison. Sentant le vent tourner, il avait trahi les siens au bon moment.

Tout cela s'était passé dans la jeunesse du gnome, dont l'espérance de vie atteignait au moins cent mille années terrestres. Depuis plus de cinquante mille ans, Korpel était brûlé par une haine féroce contre les Andromédans et tous ceux qui les servaient, les Lémuriens et les Téfrodiens en particulier.

Il jouait son rôle d'esclave soumis à la perfection,

43

mais les Maîtres n'étaient pas dupes. Ils s'étaient bien gardés de le détromper et savaient utiliser sa haine à leur profit. Ils avaient jugé que Korpel était l'espion idéal pour surveiller leur principal agent temporel dans l'empire lémurien. En cas de problème, il leur suffirait d'activer le microrécepteur qu'il portait à son insu dans le cerveau…

Servi par une intelligence redoutable, le gnome était en réalité une bête de proie, un monstre dressé pour chasser l'homme.

À l'abri dans une salle attenante, Korpel observait la réunion convoquée par Frasbur. L'amiral Hakhat se demandait pourquoi le tamrat l'avait convoqué avec tous ses officiers. À sa connaissance, aucun développement spectaculaire dans la guerre n'était à attendre. Les Halutiens finiraient bien par découvrir le transmetteur galactique géant et par lancer une offensive générale contre eux… À part cela, il ne voyait pas ce que Frasbur pouvait avoir à leur dire.

Korpel avait fait installer un dispositif de balayage spécial de la salle. Les cinq écrans disposés devant lui révéleraient immanquablement la présence de tout intrus, même protégé par un écran de déflection.

Son plan était simple mais génial. Il reposait sur sa certitude que le dispositif d'invisibilité des Terriens ne reposait pas sur une adaptation active de l'indice de réfraction mais sur un système de déflection. Le rayonnement produit dans la salle par son générateur de balayage était bien plus énergétique que la lumière. Le déflecteur le dévierait exactement comme les rayons lumineux avec une petite différence toutefois.

44

Les rayons X ressortiraient du déflecteur plus rapidement que la lumière, avec de surcroît une certaine déviation résiduelle. Pour les récepteurs placés par Korpel sur tout un pan de mur de la salle, l'emplacement où se trouvait l'ennemi allait apparaître comme une zone d'ombre relative…

C'était tout. Il suffisait au gnome de localiser les Terriens. Pour le reste, il avait déjà pris toute une série de mesures adéquates.

Sur son écran optique, Korpel vit les officiers prendre place en silence devant l'estrade. L'étranger devait se trouver quelque part parmi eux…

Le puits antigrav, faiblement éclairé, s'enfonçait d'une centaine de mètres dans le sous-sol de Kahalo. En bas, il s'ouvrait sur un hall rectangulaire d'où partaient de chaque côté des couloirs. Tronar se rapprocha du Lémurien qu'il avait suivi. À pas pressés, l'homme s'engagea dans le seul couloir illuminé. Le mutant faisait très attention à ne pas faire crisser ses semelles. Maintenant que son écran protecteur était désactivé, les Lémuriens l'auraient entendu. Heureusement, la salle de conférences ne se trouvait pas loin.

Sitôt entré, le Coureur d'ondes s'abrita prudemment près de la porte. Il observa attentivement le plancher, les murs et le plafond sans rien voir de suspect.

La cloison se referma en silence derrière lui. Le mutant se dit que si l'agent temporel avait décidé de le prendre au piège, il aurait du mal à s'en sortir.

Au fond de la salle, un rectangle noir se découvrit près de l'estrade. Un homme de haute taille, brun, la peau mate, fit son entrée. Tronar reconnut immédiatement Frasbur, tamrat de Lémur, agent temporel des Maîtres Insulaires.

Après que l'amiral Hakhat l'eut salué, Frasbur laissa son regard circuler sur les bancs en silence. Les nerfs de Tronar étaient tendus à se rompre.

Finalement, l'agent se décida à commencer son discours.

— J'ai souhaité vous réunir ici pour vous transmettre une information de première importance concernant la guerre… Il est de notre devoir, reprit-il après une brève pause, de regarder la réalité en face et de faire ce qui est dans l'intérêt primordial de l'empire de Lémur.

Tronar n'était pas le seul à se demander où le tamrat voulait en venir.

— L'une des principales qualités que nous attendons de vous, messieurs, c'est le réalisme. Face à une situation donnée, seule l'objectivité constitue un avantage stratégique. Il faut que les choses soient bien claires : nous ne pouvons plus gagner la guerre contre les Halutiens !

La phrase de Frasbur agit comme un électrochoc sur Tronar. Le mutant se redressa, brutalement tendu. L'agent temporel n'avait pas réuni tous les officiers de la flotte et de la base de Kahalo pour leur apprendre quelque chose qu'ils savaient déjà parfaitement ! Chaque gradé, chaque soldat lémurien savait que la guerre était perdue et que l'Empire n'avait plus qu'une issue pour sauver ce qui pouvait l'être encore : le transmetteur galactique géant des Sextuplées.

Dans la salle, les officiers échangeaient des regards surpris.

Frasbur avait repris son discours, mais le Coureur d'ondes ne l'écoutait plus. Rakar avait raison. La conférence était un piège. Frasbur avait dû truffer la salle de détecteurs capables de le localiser malgré le déflecteur.

Le mutant se rapprocha de la porte. Il fallait qu'il disparaisse avant que la trappe ne se referme. Peu lui importait maintenant que les Lémuriens se demandent pourquoi la porte de la salle s'ouvrait soudain toute seule.

Il se trouvait encore à cinq mètres de la porte quand il ressentit un étrange fourmillement. Il s'immobilisa. La sensation lui était familière. Il la ressentait chaque fois qu'il pénétrait dans un champ électromagnétique.

Pendant un instant, il hésita, ne sachant quoi faire. Le picotement était intense, presque douloureux. Il devait s'agir d'un rayonnement ultraviolet ou même de rayons X.

La sensation de danger s'accrut. Il éprouva le besoin de se mettre en sécurité le plus rapidement possible. Sans réfléchir, il se concentra sur le rayonnement et commença à se dissoudre dans le flux d'énergie.

La première sensation qu'il éprouva, aussitôt après, fut terrifiante. Il avait l'impression de ne plus pouvoir bouger. Il contracta ses muscles et s'arc-bouta pour allonger ses jambes.

Le cauchemar persista. Quelque chose l'enveloppait si solidement qu'il était incapable de bouger ne fut-ce qu'un petit doigt.

La seule chose qu'il pouvait faire, c'était ouvrir les yeux. Il se trouvait dans une petite pièce plongée dans la pénombre, à peine éclairée par une rangée d'écrans. En regardant plus attentivement les deux plus grands, il reconnut Frasbur et les officiers installés dans la salle de conférences.

Soudain, une ombre se détacha du pupitre.

— Enfin, vous voilà ! gouailla une voix aiguë.

Tronar voulut relever la tête, mais il dut attendre que l'inconnu se place dans son champ de vision pour le voir.

Le mutant frissonna en le découvrant. Il n'avait jamais vu un être humain aussi repoussant. C'était un humanoïde, mais sa petite taille et son énorme bosse donnaient l'impression que sa croissance avait hésité en cours de route. Ses bras et ses jambes malingres sortaient, telles des baguettes, d'un costume au couleurs criardes. Ses chaussures à bouts en pointe relevée allongeaient démesurément ses pieds. Tout aussi disproportionné par rapport au corps, son crâne massif était troué par deux yeux noirs profondément enfoncés qui lui mangeaient le visage.

— Je suis Korpel, dit l'humanoïde avec un rictus. On m'a chargé de vous capturer. J'ai fait placer des projecteurs de rayons X dans tout le bâtiment. Même si vous aviez réussi à quitter la salle, vous seriez quand même arrivé jusqu'ici. Le comportement des Terriens

48

est décidément trop facile à prédire ! Dès que vous vous êtes senti menacé, vous avez utilisé le premier champ venu. Justement celui qu'il ne fallait pas emprunter !

Tronar serrait les dents de rage. Il fit un effort surhumain pour essayer de se calmer et de réfléchir. Le gnome avait été plus malin qu'eux, et pourtant, ils étaient prévenus.

Pour penser à autre chose, le Coureur d'ondes revint aux écrans où il voyait Frasbur. Il pouvait même distinguer ce que le tamrat disait. Son discours était toujours aussi anodin, ce qui prouvait que le tamrat n'avait pas l'intention d'expliquer à Hakhat et à ses officiers la véritable raison de leur présence. Sans savoir pourquoi, il se dit que c'était une information importante.

Korpel continuait à parler. Rien ne semblait pouvoir arrêter sa voix haineuse. Le gnome des Maîtres triomphait.

— Jusqu'à présent, tout s'est bien passé et j'ai toutes raisons de croire que cela continuera ainsi. Même si vous n'êtes pas venu seul sur Kahalo. Admettons que vous soyez accompagné, disons… par votre frère ?

Il leva les mains dans un geste d'interrogation en faisant une effroyable grimace.

— J'oubliais, vous ne pouvez pas répondre, malheureux que vous êtes. Mais ne vous inquiétez pas, je vous poserai de nouveau la question et cette fois vous répondrez, que vous le vouliez ou non !

Korpel éclata d'un rire sinistre.

— Dites-vous bien que vous ne pourrez pas me

résister, même si on vous a injecté des drogues avant votre départ, même si vous êtes capable d'élever un barrage mental, même si vous êtes capable d'opérer un transfert de conscience à base émotionnelle... Vous me direz exactement tout ce que je veux savoir.

Avec sa rythmique hypnotique, la voix du gnome était si étrange que Tronar se demanda s'il ne rêvait pas. Son champ de vision, limité par sa paralysie, se rétrécissait de plus en plus. Il avait l'impression de voir le monde au bout d'un tuyau qui s'allongeait sans cesse. La voix de Korpel lui parut de plus en plus lointaine.

Soudain, il ne vit plus rien du tout. Il s'enfonça dans les ténèbres. La sensation de chute était si forte que des gouttes de sueur coulèrent sur son front. Il tombait dans un puits sans fond. Seule la voix ironique du gnome le reliait encore à la réalité.

— Ceci n'est qu'un avant-goût de la peur. Vous éprouvez un besoin irrésistible de me dire tout ce que vous savez. La peur va se transformer en terreur... Pour y échapper, il vaut mieux me dire tout...

Tronar sentait que le gnome ne bluffait pas. Il avait les moyens de le faire basculer dans l'horreur. Et puis, il avait tellement envie de faire arrêter cette nausée, cette chute sans fin...

La sensation disparut aussi vite qu'elle avait commencé. Les traits crispés du mutant se détendirent.

— Avant de passer aux choses sérieuses, il faut que je m'assure que vous resterez ici aussi longtemps qu'il le faudra, reprit Korpel en appuyant sur un contact de son pupitre.

Tronar l'entendit ricaner, puis il reçut un coup violent sur la tête, comme si un cheval fou venait de lui décocher une ruade.

Il perdit aussitôt connaissance.

CHAPITRE V

Rakar avait suivi avec une inquiétude croissante l'évolution émotionnelle de son frère. Il sentit exactement son étonnement, juste après que Frasbur ait commencé son discours, puis l'irruption de la peur, quand il avait compris qu'il était dans un piège, et enfin l'influx caractéristique qui indiquait que Tronar s'était dématérialisé.

La succession d'émotions qu'il reçut juste après était trop confuse, mais une chose était sûre. Son frère jumeau était en danger. Tronar avait éprouvé de la répulsion, de la peur, de la contrainte, de la panique et même, pendant un bref instant, une angoisse de mort. Le lien s'était brutalement interrompu.

Les impulsions émises par Tronar étaient devenues très faibles et confuses. Il devait avoir perdu connaissance. Malheureusement, Rakar ne pouvait faire grand-chose. Il devait attendre, taraudé par un sentiment de culpabilité. C'était lui qui avait envoyé Tronar à la conférence.

Le Coureur d'ondes se trouvait toujours dans le hall. Le soleil était levé et le trafic commençait à être dense sur l'astroport. Il devait faire très attention pour ne pas être surpris. De temps à autre, il se concentrait pour essayer de trouver une liaison radio ou hypercom. Jusqu'à présent, la flotte lémurienne avait respecté un silence quasi total. Frasbur s'attendait à leur visite et il savait exactement à qui il avait affaire. Leurs facultés paranormales risquaient de ne pas être suffisantes pour arriver jusqu'à lui.

Le fait que l'agent temporel ait soigneusement préparé un piège contre eux prouvait qu'il savait certainement que Tronar n'était pas seul. Ils allaient le torturer. Son frère avait une volonté d'une force incroyable, mais elle pouvait être brisée, il n'en doutait pas. Frasbur avait à sa disposition tout l'arsenal technologique de la civilisation la plus avancée de l'univers connu.

Quelles informations importantes Tronar allait-il pouvoir livrer sur lui ? Le fait qu'il devait envoyer une brève impulsion dès qu'il aurait trouvé la cachette de Frasbur. L'agent temporel l'obligerait certainement à émettre ce signal. Grâce au lien empathique, Rakar saurait immédiatement si son frère agissait sous la contrainte. Frasbur n'était sûrement pas homme à négliger les détails. Il apprendrait donc l'existence du lien empathique et chercherait à en tirer avantage. Il pouvait administrer une drogue euphorisante à Tronar et lui faire envoyer le signal de reconnaissance sous son emprise…

Rakar était certain que les choses se dérouleraient

ainsi. Sa seule chance de déjouer l'agent temporel était de réussir à localiser le minicom au moment où il émettait le signal. Mais comment faire une triangulation efficace sans détecteur approprié ? Comment, sinon, pourrait-il se déplacer suffisamment pendant les deux ou trois secondes d'émission pour localiser l'émetteur ?

Il cherchait toujours une solution au problème quand l'amiral Hakhat et les officiers remontèrent de la salle de conférences. Les discussions allaient bon train et les Lémuriens paraissaient tous passablement énervés. Frasbur ne leur avait rien appris de nouveau. Il s'était contenté de répéter des évidences et chacun avait l'impression d'avoir perdu un temps précieux.

Plusieurs officiers se plaignaient à haute voix, d'autres affirmaient que Frasbur n'avait pas pu, au dernier moment, leur annoncer ce qu'il avait prévu, d'autres enfin rappelaient que le tamrat était suffisamment vaniteux pour convoquer un auditoire pour le seul plaisir de s'entendre parler...

Rakar ne se sentait plus en sécurité dans le hall. Il sortit du bâtiment dans le sillage des derniers officiers. Il parcourut une centaine de mètres avant d'enclencher son antigrav et s'éloigna d'un demi-kilomètre en direction de la bordure de l'astroport.

Plus vite il aurait terminé ses préparatifs, meilleures seraient ses chances d'arracher son frère à l'agent des Maîtres.

Tronar courait pour sauver sa vie. Un soleil écrasant

se réverbérait sur le sable gris-blanc qui l'éblouissait à perte de vue. Le Chrystallien était nu. La température était telle que la plante de ses pieds cuisait littéralement sur le sable. Mais Tronar avait d'autres soucis que le désert et la chaleur.

Le souffle de la bête monstrueuse qui le poursuivait se rapprochait sans cesse. Il n'avait osé se retourner qu'une seule fois. Grand comme une maison, le monstre était couvert de tentacules qui le faisaient littéralement glisser sur le sable. Il paraissait infatigable.

Le mutant n'avait rien pour se défendre. Sa gorge irritée par la poussière de sable et ses poumons brûlés le faisaient atrocement souffrir, mais il continuait à courir. Il ne sentait plus ses muscles. Il courait comme une machine, aiguillonné par la terreur d'être rattrapé par l'immonde créature. Pendant une fraction de seconde, il se dit qu'il devrait abandonner et s'arrêter. Mais la panique était là et rien n'aurait pu l'empêcher de courir.

En soufflant bruyamment, il mobilisa ses dernières ressources d'énergie. Peut-être finirait-il par trouver un abri…

Deux minutes plus tard, il trébucha et s'étala de tout son long. La bête fut aussitôt sur lui. Sa puanteur était atroce. Il hurla et roula sur le côté pour essayer d'éviter la gueule aux crocs avides. Il ferma les yeux pour ne pas voir la mâchoire se refermer sur lui. Au dernier moment, comme mû par un pressentiment, il se redressa et crut voir son frère qui courait vers lui. Trop tard, Rakar ne pourrait plus le sauver.

La lumière s'enfla démesurément, le soleil se transforma en boule de feu.

Tronar cria.

Tout à coup, il sentit une fraîcheur bienfaisante autour de lui. Il ouvrit les yeux. Un projecteur placé juste devant sa tête l'éblouissait. Dodelinant de la tête, le regard perdu, il enregistra les câbles colorés qui descendaient le long de sa poitrine et de ses bras.

Une silhouette grotesque, déformée par un sourire hideux, se pencha l'espace d'un instant sur lui.

La honte qu'il éprouvait le fit trembler des pieds à la tête.

Il avait trahi son frère.

Korpel profita de la brève éclaircie de conscience de son prisonnier pour lui expliquer ce qu'il était en train de lui faire.

— La méthode consiste à soumettre l'instinct de survie à une tension pratiquement insupportable. Les défenses psychologiques s'épuisent progressivement, jusqu'au moment où vous êtes obligé de faire appel au seul pouvoir qui puisse vous tirer d'affaire. En l'occurrence, votre frère. Sa seule évocation m'a permis de tirer de votre cerveau toutes les informations utiles à son sujet. Je sais exactement où il est et comment le faire venir jusqu'ici. Vous l'avez trahi, Terrien.

Tronar poussa un cri inarticulé et chercha à se lever. Mais les câbles fixés dans la chair le firent hurler de douleur. Le regard fixé sur le visage de gargouille de Korpel, il surmonta la sensation d'arrachement et se pencha en avant pour sortir du fauteuil. Il réussit, mais la souffrance fut trop forte. Un goût de sang lui emplit la bouche, ses oreilles résonnèrent d'un grondement sourd. Il s'effondra sur le sol, inanimé.

Il revint presque aussitôt à lui. Le rire grinçant de Korpel lui donna la force de se soulever sur un coude. Le gnome riait à gorge déployée. Il ne s'était jamais autant amusé pendant un interrogatoire.

Le mutant se redressa complètement. La rage qui l'habitait disparut soudain. Un flux de haine glacée courut à travers ses veines. Il regarda froidement le gnome, conscient de ne rien pouvoir faire contre lui. Il avait trahi Rakar, soit, et il allait se venger. Mais pour cela, il fallait qu'il réfléchisse, qu'il bannisse cette rage qui le poussait à écraser la tête hideuse de l'humanoïde entre ses poings.

Il revint de lui-même vers le fauteuil de l'interrogatoire. Le rire sadique de Korpel s'étrangla.

Son cerveau avait retrouvé toute sa lucidité. Il connaissait la méthode que le gnome employait. Il suffisait de mettre la conscience d'un être humain hors circuit et de stimuler convenablement son inconscient pour libérer des pulsions primaires très puissantes.

Il ne savait pas ce qu'il avait exactement révélé au sujet de Rakar. Ses souvenirs de l'hallucination n'avaient rien à voir avec ce qu'il avait réellement dit. La bonne humeur de son tortionnaire montrait à quel point il semblait satisfait. Sans doute avait-il parlé du signal de reconnaissance par le minicom. Sans méfiance, Rakar tomberait dans le même piège que lui.

Korpel, qui s'était calmé, s'approcha de lui. Son front était couvert de sueur.

— Nous nous amusons bien ensemble, n'est-ce pas ? Bientôt, nous serons trois…

*
**

Rakar était si préoccupé par ce qu'il faisait qu'il prêtait à peine attention à ce qui se passait autour de lui. Il était loin d'être prêt et le signal pouvait être lancé d'une seconde à l'autre.

Les Lémuriens avaient pris l'habitude de déposer les machines dont ils n'avaient plus besoin derrière le bâtiment où il s'était arrêté. Dans cet amoncellement, Rakar avait trouvé exactement ce qu'il cherchait, une tige de métal de deux mètres de long. Sa couleur blanc-gris la rendait totalement invisible sur le revêtement de l'astroport. À deux kilomètres du bâtiment le plus proche, il avait foré au radiant un trou d'une trentaine de centimètres de profondeur dans le sol et y avait enfoncé la tige, grosse comme le pouce.

Il s'éloigna d'un demi-kilomètre en essayant de ne pas perdre la tige de vue. De là, il alluma son minicom, l'orienta en faisceau ultracondensé mais à faible puissance vers la barre de métal et… disparut !

Il se rematérialisa près de la tige. Son antenne provisoire fonctionnait correctement. Satisfait, il regarda sa montre. Il ne lui avait fallu en tout qu'une seconde et demie pour se transférer. Tout espoir n'était pas perdu.

Il était prêt. À partir de maintenant, il ne lui restait plus qu'à attendre.

Le soleil était déjà haut dans le ciel. Le mutant, qui n'avait pas réactivé son écran protecteur, sentait la chaleur, réverbérée par le plastométal de l'astroport. Il hésita à mettre en route le climatiseur de son spatiandre. Cela aurait pu perturber le signal du minicom de Tronar.

Le trafic spatial était tout aussi faible que la veille. Il n'avait pas encore pu observer un seul atterrissage. Les pyramides, dont la belle couleur rouge commençait à s'intensifier, se dressaient calmement, comme si la guerre d'extermination avec les Halutiens se déroulait à l'autre bout de la Galaxie.

La chaleur agissait sur Rakar comme un somnifère. Il se leva et fit quelques pas en battant des bras pour se maintenir éveillé.

Soudain, un flot d'émotions extérieures l'envahit. Tronar était revenu à lui ! Le Coureur d'ondes s'arrêta et ferma les yeux pour analyser en détail ce qu'il ressentait. Son frère éprouvait une peur très violente, presque de la panique. Une étincelle d'espoir s'y mêlait, mais elle s'étiolait rapidement, comme la glace devant le feu. On aurait dit que Tronar était en train de fuir quelque chose de terrible tout en sachant qu'il ne pourrait lui échapper.

Un renversement brutal se produisit. Une sensation de libération, aussitôt suivie par un sentiment violent de haine et de honte. La rage envahit tout. Une piqûre de douleur très aiguë subsistait à l'arrière-plan. Sous le choc, les épaules de Rakar se courbèrent, son visage grimaça de douleur.

Le flux émotionnel perdit en intensité. Le fouillis de

sensations disparut, à l'exception d'une volonté froide de tuer. Tronar avait retrouvé son self-control.

Rakar pouvait facilement imaginer ce qui se passait. Comme il s'y attendait, les méthodes d'interrogatoire de Frasbur étaient parfaitement au point. Tronar lui avait dit ce qu'il voulait savoir. D'où sa colère. Rakar nota un détail. Tronar ne pensait pas à la possibilité que son frère avait de ressentir à distance son état mental par le lien empathique. Celui qui l'interrogeait ne devait pas avoir pu lui extorquer ce renseignement. Pour Rakar, cela ne changeait rien.

Finalement, comme le mutant s'y attendait, l'humeur de Tronar changea. L'optimisme et même une bonne humeur artificielle commencèrent à couler dans ses veines et dans son esprit.

Rakar se tourna dans la direction du bâtiment où son frère était prisonnier. Le signal du minicom ne tarderait plus…

Tronar fut surpris d'avoir pu éprouver un tel désespoir quelques instants plus tôt. Rakar saurait ce qu'il fallait faire. Il n'avait pas besoin de se faire de souci à son sujet.

Korpel, le gnome, avait disparu. Même l'image de son tortionnaire n'éveillait plus de haine en lui. Un soupçon de méfiance l'envahit. D'où venait son changement soudain d'attitude ? La confiance qu'il éprouvait cherchait à balayer ses derniers doutes.

Il comprit en voyant les câbles multicolores qui l'entouraient toujours. Les appareils du gnome, des psychogénérateurs, maîtrisaient totalement ses émotions. Après l'avoir acculé à la détresse la plus profonde, ils étaient en train de le lénifier... Tronar savait exactement pourquoi.

Korpel avait également appris durant l'interrogatoire que son frère pouvait en permanence « écouter » ses impressions. En recevant le signal, Rakar ne se méfierait pas. En apparence, tout allait bien pour Tronar. Le gnome était d'une habileté redoutable.

L'espace d'un instant, la haine revint en lui, submergeant l'euphorie distillée par la machine. Rakar allait être pris au piège à son tour. Mais Tronar ne pouvait plus se révolter. Tout allait pour le mieux.

Rakar réagit instantanément dès l'arrivée du signal. Il avait répété chaque geste une douzaine de fois, si bien qu'il n'aurait pas besoin de réfléchir du tout pendant toute l'opération. La moindre fraction de seconde était précieuse.

Il leva le bras gauche. La valeur affichée par l'écran de son boîtier de contrôle s'immobilisa sur 032126. Rakar s'accorda une demi-seconde pour mémoriser le nombre. Il activa son propre émetteur et disparut. Une seconde et demie plus tard, il était debout près de la tige métallique. Le signal était toujours là ! Cette fois le boîtier de contrôle localisait l'appel à 035124.

Ne voulant courir aucun risque, il nota la première valeur sur un bout de plastopapier, puis la seconde.

Les valeurs, enregistrées à deux endroits différents, allaient lui permettre de déterminer approximativement la distance et l'angulation du minicom de Tronar.

Il pianota sur le clavier de son boîtier pour transformer les codes et dirigea son minicom dans la direction adéquate. L'estimation de la distance risquait d'être plus problématique. À la marge d'erreur du relevé s'ajoutait l'imprécision de son propre transfert.

En essayant de ne pas penser à ce qui arriverait s'il se trompait, Rakar appuya sur le contact d'émission de son propre faisceau hyperonde focalisé. Il se dématérialisa aussitôt.

La sensation de bien-être s'effaça en quelques secondes. La rage revint. Tronar haïssait Korpel et, à travers lui, l'agent temporel. Il fallait éliminer Frasbur.

Le gnome surgit devant lui en poussant un cri démentiel, mélange de coassement de grenouille et de klaxon.

— Tu as voulu m'avoir, Terrien ! hurla-t-il. Je vais te le faire regretter. Tu vas me supplier de te tuer !

Korpel s'installa à son pupitre et effectua quelques réglages. La douleur commença aussitôt à irradier le système nerveux du Chrystallien comme du plomb fondu. Le corps convulsé, Tronar s'arc-bouta dans son fauteuil en hurlant. Un voile rouge s'abattit devant ses yeux.

Plus tard, il se demanda comment il avait réussi à ne pas mourir sous la torture. En tout cas, il était encore totalement conscient quand la souffrance commença doucement à refluer.

Korpel revint vers lui et se pencha jusqu'à ce que le mutant puisse sentir son haleine.

— Ce n'était qu'un avant-goût, Terrien, siffla-t-il. Je ne sais pas comment, mais tu as réussi à résister en partie à l'interrogatoire. Tu le paieras. Tu as menti. Sinon, ton frère aurait déjà dû se matérialiser par l'antenne de ton minicom depuis deux minutes. Mais tu ne perds rien pour attendre…

Tronar voulut lui dire qu'il n'avait pas menti, mais il ne réussit à émettre qu'un gémissement. La douleur l'avait si bien brûlé intérieurement que sa langue desséchée avait doublé de volume.

— Je te laisse une minute et demie. Le programmateur activera le psychogénérateur dans quatre-vingt-cinq secondes. Ce que tu as ressenti jusqu'à présent n'était qu'un jeu d'enfant en comparaison de ce qui t'attend. Tu peux encore t'épargner toute cette souffrance. Il te reste une minute et quinze secondes pour me dire la vérité…

Tronar ferma les yeux. Il ne pouvait plus supporter le visage répugnant du gnome. Il essaya d'humidifier un peu sa bouche pour pouvoir parler. D'une voix rauque, il parvint à lancer :

— Tu es la créature la plus repoussante que j'aie jamais vu !

Ce furent ses derniers mots.

Korpel poussa un cri hystérique. Le Chrystallien le vit se retourner et courir vers son pupitre. Le gnome leva le bras pour pousser le contrôle d'intensité du psychogénérateur au maximum. Tronar serra les dents et se cramponna à son fauteuil.

Comme dans un rêve, il vit une chose étonnante. Le bras tendu de Korpel s'éloigna doucement, comme au ralenti, du pupitre. Comme soulevé par une force phénoménale, le gnome s'éleva en l'air et son menton se souleva comme si sa tête voulait se décoller de son corps.

Brutalement, le visage convulsé par la surprise, le valet des Maîtres retomba sur le sol. Il se releva et voulut courir, en se retournant comme s'il fuyait une menace invisible. Mais la force le bloquait…

Pour Tronar, c'en était trop. Il retomba dans son fauteuil, épuisé par la torture.

Rakar sortit du panneau de contrôle d'un appareil encastré dans le mur d'une grande salle. Il n'avait pas le temps de s'orienter. Il reconnut tout de suite la voix de son frère.

Il comprit, en voyant l'être qui le menaçait, que son tortionnaire avait l'intention de mettre ses menaces à exécution. Tronar, relié par des dizaines de câbles à une machine, paraissait à bout de forces.

Le mutant réussit à retenir le bras du gnome au tout dernier moment et lui assena un direct à la pointe du menton. Mais le petit humanoïde était aussi souple et rapide qu'une fouine. Il se releva et voulut s'enfuir. Rakar l'attrapa par le cou et le maintint solidement. Il désactiva son déflecteur et emmena le gnome vers son frère.

— Je te dois un sacré paquet de reconnaissance, parvint à dire Tronar.

Sans relâcher sa prise su Korpel, il retira les uns après les autres les crochets de métal fixés dans la peau de son frère.

— Qui c'est, celui-là ? demanda-t-il quand il eut enlevé tous les câbles.

— Il s'appelle Korpel. C'est l'être le plus abject que nous ayons jamais rencontré. Je ne sais pas quel rôle il joue, mais il doit être responsable des questions de sécurité pour Frasbur.

— Il va nous dire tout ça lui-même, n'est-ce pas ? lança-t-il en se tournant vers le gnome. Où as-tu caché le reste de l'équipement de mon frère ? demanda-t-il en téfroda.

Pour toute réponse, Korpel se contenta de lui lancer un regard haineux.

— Nous voulons aussi savoir où se trouve Frasbur et quel rôle tu joues auprès de lui, insista Rakar sans se laisser impressionner.

Le gnome haussa les épaules.

— Je me doutais que tu ne voudrais pas répondre à nos questions, reprit le mutant d'un ton indifférent. Par chance, cette salle est équipée de tout ce qu'il faut pour t'aider à être un peu plus bavard.

Il jeta Korpel d'un geste négligent sur le fauteuil. Avant même que le gnome ait pu chercher à se débattre, les sondes s'étaient fixées d'elles-mêmes sur sa peau. Le valet de Frasbur roula des yeux horrifiés et commença à crier. Plus il bougeait, plus les câbles resserraient leur étreinte.

Tranquillement, Rakar se dirigea vers le pupitre de commande du psychogénérateur.

— Stupide Terrien ! grinça Korpel. Tu ne trouveras jamais comment cela marche !

Le gnome se trompait. Le mutant connaissait parfaitement les principes de fonctionnement de ces machines. Il lut quelques-uns des panonceaux lémuriens et posa le doigt sur une première touche. Korpel poussa un cri étouffé. Ses yeux se révulsèrent.

Rakar revint près de lui et commença à l'interroger.

Korpel lui apprit tout ce qu'il voulait savoir. Où il avait mis le spatiandre de Tronar, où se trouvait la base secrète de Frasbur. Il parla de sa haine pour tout ce qui venait de la Terre et de Lémur, qui n'étaient qu'une seule et même planète, il avoua même sa haine pour les Maîtres Insulaires…

Korpel n'avait pas fini de parler qu'il ouvrit la bouche, les yeux soudain écarquillés. Son regard se figea. Sa tête retomba.

— Il est mort, constata Rakar en détournant la tête. Les Maîtres Insulaires lui avaient sûrement implanté un microrécepteur dans le cerveau.

— Comme aux Maahks et aux Téfrodiens ? s'étonna Tronar.

— Il en a tous les symptômes, en tout cas. Il doit y avoir une machine extraordinaire dans la Nébuleuse qui contrôle la totalité des microrécepteurs implantés par les Maîtres Insulaires. Comment la machine a pu réagir, presque instantanément et à une telle distance, je n'en sais rien. Toujours est-il que le gnome a signé son arrêt de mort en déclarant sa haine pour les Andromédans.

— Quand on pense, de plus, que la machine se

trouve sûrement dans le futur, on ne peut qu'avoir froid dans le dos, compléta Tronar. Imagine que les Maîtres Insulaires réussissent à implanter leurs microrécepteurs chez tous les peuples de la Voie lactée…

— Il vaudrait mieux mourir, dit gravement Rakar.

Soutenu par son frère, Tronar quitta la salle où il avait souffert le martyre. En sortant, il lança un regard de pitié à Korpel. Né pour haïr, son existence était vouée à l'échec depuis le début. Le pouvoir des Maîtres Insulaires l'avait broyé, comme tant d'autres.

Rakar le conduisit dans la pièce où le gnome avait déposé son équipement et l'aida à revêtir son spatiandre. Ils réactivèrent leur champ protecteur et leur déflecteur et se mirent en route vers la base de Frasbur.

— C'est loin ? voulut savoir Tronar.

— D'après Korpel, l'entrée de la mémostation se trouve juste au bout du couloir qui passe devant la salle des interrogatoires.

CHAPITRE VI

Le couloir conduisait en effet à une porte blindée particulièrement massive. Ils déconnectèrent brièvement leurs déflecteurs pour tester le mécanisme d'ouverture. La porte coulissa immédiatement devant eux.

Ils entrèrent dans une salle d'une quinzaine de mètres de long, discrètement éclairée par des plaques luminescentes encastrées dans le plafond. De chaque côté, des fauteuils semblables à celui où Tronar avait été torturé s'alignaient le long des murs.

Rakar se souvenait de la salle. Lors de sa première visite, des Lémuriens étaient étendus sur les fauteuils. Ils avaient dû être envoyés dans le futur pour servir de garde rapprochée aux Maîtres Insulaires. Devenus téfrodiens, ils avaient perdu tout souvenir de leur passé dans l'empire agonisant de Lémur. La salle ne tarderait sûrement pas à se remplir. Les besoins des Andromédans en doublons étaient pratiquement illimités.

Les deux mutants laissèrent la salle derrière eux. Rakar se dirigeait sans hésiter. La mémostation de Frasbur n'était pas loin. D'après ce que leur avait dit Korpel, l'agent temporel disposait d'un immense complexe souterrain, protégé par de multiples niveaux de sécurité. Personne, à l'exception de Frasbur lui-même, ne connaissait la totalité des installations. Les Lémuriens de Kahalo ne se posaient aucune question quant aux fréquentes absences du tamrat. Son statut le plaçait au-dessus de n'importe quel autre Lémurien de la base. Tout au plus avait-il confié une fois qu'il disposait d'un abri souterrain pour se protéger d'une attaque surprise des Halutiens.

Ils entrèrent ensuite dans une seconde pièce. L'un des murs était couvert d'un écran qui montrait une grande partie de l'astroport. Des sièges, disposés autour de tables basses, étaient installés dans toute la pièce. Sur l'une d'elles, Rakar aperçut un petit cube de métal.

Une empreinte dans l'épaisse moquette, un relent d'eau de toilette montraient que quelqu'un s'était trouvé dans la pièce peu de temps auparavant.

Une autre porte, presque invisible, se trouvait face à celle par laquelle ils étaient entrés. Rakar s'en approcha mais, comme son écran d'invisibilité était toujours enclenché, le mécanisme d'ouverture ne fonctionna pas. Il posa les mains sur le panneau de métal et sentit une légère vibration. Des machines fonctionnaient de l'autre côté. Le mutant hésita. Si Frasbur venait de quitter la pièce où ils se trouvaient, il pouvait très bien se trouver juste à côté. Rakar hésitait. De là où il était, l'agent temporel pouvait voir la porte s'ouvrir. Le mutant appela son frère. Ils n'avaient pas le choix.

Ils déconnectèrent leur déflecteur et sortirent leur radiant. Le faisceau à ultrasons du mécanisme d'ouverture heurta un objet solide et fit coulisser la porte.

La lumière de la salle était plus vive qu'ailleurs dans la station. Deux gros générateurs étaient adossés au mur du fond. Au centre, un pupitre était accolé à un appareil conique de huit mètres de diamètre à la base. Un émetteur hypercom. L'extrémité du cône traversait le plafond pour se terminer un étage plus haut. Une autre machine se trouvait au milieu de la pièce. C'était un cube de métal brillant qui rappelait un générateur à fusion solaire. Du coin de l'œil, Rakar avait remarqué que quelque chose avait bougé près de l'hypercom. Le bras tendu, il se rapprocha de la machine.

Suivi de près par Tronar, il commença à en faire le tour. Juste derrière, une niche équipée d'un fauteuil et d'une console de commande était aménagée dans le mur. Les voyants clignotaient, indiquant que l'hypercom fonctionnait. Au-dessus de la console, les Coureurs d'ondes découvrirent le buste d'un homme vêtu de façon étrange.

Le fauteuil n'était pas vide. Frasbur était en grande conversation avec l'étranger.

De la main, Rakar fit signe à son frère de ne pas bouger, puis il déconnecta son écran protecteur.

— Les choses se déroulent comme prévu, Maghan, affirmait l'agent temporel. Il y a eu un petit incident, mais rien qui puisse compromettre la situation. Deux agents terriens ont réussi à s'infiltrer sur Kahalo, mais le valet que vous m'avez donné a pris les choses en main. Il a déjà capturé le premier. Le sort de l'autre n'est plus qu'une question de minutes.

Quelque chose réagit dans le subconscient de Rakar. Korpel lui avait appris quelques minutes plus tôt que c'étaient les Maîtres Insulaires qui l'avaient affecté à Frasbur. En parlant du gnome, l'agent temporel venait de dire à l'inconnu : « Vous me l'avez donné ». Cela signifiait-il que l'homme sur l'écran était un Maître Insulaire ?

Fasciné, le mutant détailla attentivement l'homme. Il était grand et mince. Son visage maigre, presque ascétique, affichait un air de supériorité qui le rendait presque irréel. L'homme paraissait totalement sûr de lui. Son uniforme portait au milieu de la poitrine un symbole très parlant : deux galaxies entrecroisées sur fond noir...

Le cœur du mutant se mit à battre la chamade.

Il revint à la conversation.

— ... ne pas vous occuper des détails sans importance, disait l'inconnu, dont les lèvres bougeaient à peine. J'attends votre prochaine livraison de Lémuriens sélectionnés. La situation n'est pas simple au Centre de la Nébuleuse. Nous avons besoin de millions d'équipages frais. Chaque Lémurien peut nous fournir jusqu'à deux millions de doublons. Ceci est votre mission prioritaire, ne l'oubliez pas.

Les derniers doutes de l'officier solaire fondirent comme neige au soleil.

L'homme en uniforme argenté était bien un Maître Insulaire !

Rakar recula sans faire de mouvement brusque. Il fallait qu'ils abandonnent leur premier objectif. Ils avaient mieux à faire que de capturer Frasbur et de le ramener à bord du *Krest III*. Il réactiva son écran protecteur et expliqua à Tronar, qui l'observait, tendu, ce qu'il venait de décider.

— C'est un Maître Insulaire, dit-il, le pouce pointé derrière lui.

— Quoi ? s'exclama Tronar, estomaqué.

— C'est notre chance. Tant qu'ils sont en communication, nous pouvons le rejoindre, répondit Rakar sans perdre de temps.

Son frère lui fit signe qu'il était d'accord. Les Coureurs d'ondes fermèrent les yeux pour repérer le flux d'hyperondes et se laissèrent aspirer vers l'inconnu.

Sa conversation avec le plus important de ses supérieurs avait un peu ébranlé le seigneur Frasbur. Le Maître lui avait presque reproché de consacrer du temps à chasser des agents terriens. Les multiduplicateurs avaient un besoin urgent d'empreintes moléculaires nouvelles pour alimenter les flottes de Téfrod.

L'agent temporel convint pour lui-même qu'il avait attaché trop d'importance à l'arrivée des espions terriens. Il ne craignait pas pour sa propre sécurité, non. C'était la joie de la chasse qui l'avait motivé, tout comme Korpel.

L'agent temporel revint dans son salon privé et se promit de donner satisfaction aux Maîtres. Le gnome saurait bien s'occuper tout seul des deux Terriens. D'ailleurs, il fallait qu'il l'avertisse qu'il lui donnait carte blanche.

Frasbur se pencha et pressa le coin de la table qui se trouvait devant lui. Un écran intercom se dévoila aussitôt. L'image montrait une partie de la salle d'interrogatoire. Korpel ne répondit pas à l'appel. L'agent temporel savait que la sonnerie stridente de l'intercom était parfaitement audible dans toute la pièce. Korpel ne l'aurait pas quittée sans l'avertir. Frasbur éprouva un sentiment de malaise grandissant. Le gnome aurait dû être là…

Il se leva comme un ressort et se précipita vers le couloir. Trente secondes plus tard, il pénétrait à grands pas dans la salle d'interrogatoire. Il appela Korpel, mais le gnome ne répondait toujours pas. Il s'approcha des psychogénérateurs et s'immobilisa, figé par la stupeur, en découvrant le spectacle qu'offrait le fauteuil où aurait dû se trouver le prisonnier.

Entortillé par les câbles de la machine, la tête de côté, Korpel fixait le vide de ses grands yeux noirs.

Une fois le premier choc surmonté, Frasbur s'approcha prudemment du fauteuil. Korpel était mort, cela ne faisait pas le moindre doute. L'agent temporel n'arrivait pas à en croire ses yeux. Il n'aimait pas le gnome, mais il avait fini par s'habituer à sa présence et lui reconnaissait bien volontiers des capacités hors norme.

Et maintenant il était là, assis devant lui, mort.

Frasbur commença à réfléchir. L'agent terrien s'était trouvé là, totalement sous le contrôle de la machine. Il était impossible qu'il ait pu se libérer sans aide extérieure. Son frère avait donc dû le libérer. Invisibles, avec leurs capacités paranormales, les deux Terriens pouvaient causer des dégâts considérables. Il se dit qu'il avait eu raison, finalement, de ne pas sous-estimer l'importance de leur élimination. Maintenant, il était trop tard.

Frasbur allait repartir, mais il s'arrêta tout net. Il venait brusquement de songer que les deux hommes étaient peut-être là, en train de l'épier, et qu'il pouvaient l'attaquer à tout moment. Il sortit son radiant.

Des gouttes de sueur perlèrent sur son front. Quelques secondes s'écoulèrent sans que rien n'arrive. Finalement, l'agent temporel maudit sa stupidité. Si les deux mutants avaient été dans la pièce, ils n'auraient pas attendu pour s'en prendre à lui. Mais où étaient-ils, alors ?

Un horrible soupçon commença à se faire jour dans son esprit. Et s'ils avaient été dans la mémostation au moment où il était en liaison avec le Maître ? Ils étaient capables de voyager sur n'importe quel type d'ondes…

Plus vite encore qu'il n'était venu, Frasbur revint à la mémostation. Il activa le puissant hypercom et chercha à rétablir une liaison avec Regnal-Orton.

Mais le navire ne répondait plus. Il avait déjà dû passer par le transmetteur.

*
**

Comparé aux croiseurs de ligne de la flotte lémurienne qui entourait Kahalo, le navire de Regnal-Orton était minuscule. En forme de torpille, il ne mesurait que trente mètres de long et ressemblait plutôt à une chaloupe de sauvetage. En le voyant, nul n'aurait pu supposer que c'était en réalité un navire conçu pour des voyages intergalactiques.

Regnal-Orton n'était pas particulièrement satisfait des contacts qu'il avait eus en plusieurs points de l'empire de Lémur. Officiellement envoyé du gouvernement téfrodien, mis en place par les premiers émigrés galactiques qui s'étaient installés dans la Nébuleuse d'Andromède quatre-vingt-dix ans plus tôt, Regnal-Orton avait pu rencontrer sans difficulté les principales autorités lémuriennes. D'un seul coup, au fur et à mesure que les Halutiens gagnaient du terrain, la petite colonie de Téfrod était devenue d'une importance capitale pour Lémur. Les tamrats savaient que les Téfrodiens n'étaient pas ravis du rôle que leurs cousins galactiques entendaient leur faire jouer. En quatre générations, même si les liens avec la Voie lactée n'avaient jamais été totalement rompus, les colons s'étaient fait à l'idée de leur indépendance.

Les pouvoirs politiques de Lémur veillaient donc soigneusement à ne pas heurter la fierté des Téfrodiens. Regnal-Orton avait été reçu partout avec les honneurs dus à un tamrat.

En réalité, Regnal-Orton avait utilisé cette couverture pour entrer en contact avec les agents temporels disséminés à travers toute la Galaxie. Ils occupaient la plupart du temps des postes importants, qui leur donnaient toute latitude de voyager. Aucun Lémurien ne connaissait leur existence et leurs objectifs étaient entourés par un secret absolu. Personne n'aurait pu imaginer qu'ils venaient d'un lointain futur, situé à cinquante mille ans dans l'avenir. Aucun Lémurien, pour finir, n'avait jamais entendu parler des Maîtres Insulaires.

Maîtres absolus de la Nébuleuse, les Andromédans, qui s'estimaient toujours invincibles, affrontaient à leur tour dans le futur un ennemi moins visible, mais tout aussi déterminé que les Halutiens. Nombre de peuples qu'ils avaient asservis depuis des siècles ou des millénaires se rebellaient contre leur tyrannie. Depuis la micronébuleuse Andro-Alpha, les Maahks menaient des raids de plus en plus violents contre l'empire de Téfrod.

Les Maîtres n'étaient pas spécialement inquiets. Leur avance technologique était telle qu'elle les plaçait loin au-dessus de toutes les civilisations connues. Regnal-Orton était certain que les révoltes, toutes les révoltes, seraient noyées dans le sang. Des peuples entiers allaient mourir. Mais, pour cela, les Téfrodiens avaient besoin de nouvelles flottes et d'équipages aguerris, supérieurs à leurs adversaires.

Grâce aux multiduplicateurs — des machines infernales que Perry Rhodan et les Terriens connaissaient bien — les Maîtres Insulaires pouvaient copier des êtres humains à l'infini. Fonctionnant comme un scanner, les machines analysaient dans un premier temps la moindre molécule d'un corps et enregistraient l'énorme quantité de données accumulées sous forme d'empreinte moléculaire. À l'autre extrémité du multiduplicateur, celle-ci permettait de copier exactement l'être d'origine. Les copies, ou doublons, étaient des êtres artificiels qui possédaient l'intégralité des facultés de leur modèle, à l'exception des souvenirs, totalement remodelés par un programme spécifique. En réalité, les doublons n'étaient rien d'autre que des machines humaines.

Les Maîtres Insulaires avaient choisi les Lémuriens pour leur intelligence et leur combativité. Hélas, Regnal-Orton avait pu constater durant son périple galactique que le flot de modèles pour les multiduplicateurs risquait de se tarir très rapidement. Possédés par une rage guerrière à l'échelle galactique, les Halutiens détruisaient tout sur leur passage. Toute planète lémurienne attaquée pouvait être considérée comme totalement perdue. Les pertes humaines de cette guerre étaient colossales.

Par un étrange hasard de l'Histoire, c'étaient les lointains descendants des Lémuriens qui posaient aux Maîtres Insulaires le plus grave problème auquel ils avaient été confrontés depuis des millénaires. Les Terriens étaient un peuple jeune et entreprenant. Pour les Maîtres Insulaires, leur audace n'était que de l'inconscience, mais les succès répétés des Terriens, avec peu de moyens, commençaient à les inquiéter. En combat de front, ils réussissaient régulièrement à surclasser les Téfrodiens eux-mêmes.

Les Maîtres Insulaires savaient que l'apparition des Terriens avait été l'étincelle qui avait mis le feu aux poudres dans leur empire. Leurs analyses stratégiques avaient depuis longtemps prévu la possibilité d'une révolte généralisée, mais elle était survenue plus tôt que prévu et avec une ampleur qui les avait pris de court. Pourtant, Regnal-Orton, comme tous les Maîtres Insulaires, continuait à considérer l'Empire solaire comme quantité négligeable, tant politiquement que militairement.

Le vaisseau géant des Terriens que les Maîtres Insulaires avaient réussi à catapulter dans le passé par le transmetteur temporel de Vario avait créé un certain émoi parmi les Lémuriens. Le vaisseau qui portait à son bord Perry Rhodan, le chef de l'Empire solaire, était voué à une destruction certaine. Les Terriens ne devaient à aucun prix rejoindre le futur. Le secret des Andromédans devait à tout prix être préservé.

Jusqu'à présent, l'amiral Hakhat, chef de la flotte de Kahalo, n'avait pas encore réussi à éliminer le vaisseau géant. Pour Regnal-Orton, ce n'était pourtant qu'une question de temps. Pour lui, l'affaire du vaisseau terrien était déjà réglée. Quant aux deux agents qu'ils avaient réussi à infiltrer sur Kahalo, il ne comprenait pas que Frasbur ait pu perdre son temps à cause d'eux. Ces deux espions ne pouvaient guère provoquer de dommages...

Regnal-Orton revint dans la cabine de pilotage de son petit navire et observa l'écran du pilote automatique qui le dirigeait droit sur l'immense globe d'énergie qui occupait le centre du transmetteur galactique géant de Kahalo.

Rakar et Tronar se rematérialisèrent en silence et simultanément dans une petite pièce aménagée comme un salon. L'homme qui était en liaison avec Frasbur était assis devant un petit pupitre situé à hauteur de ses genoux. Il appuya sur une touche verte et son écran s'éteignit.

Les deux mutants, debout à moins de deux mètres du Maître Insulaire, n'osaient pas bouger. Malgré le déflecteur, ils se demandaient si l'homme ne les avait pas détectés. Il se leva et fit quelques pas, les mains croisées derrière le dos, plongé dans ses pensées. Il ne semblait pas avoir été alarmé. Les deux Coureurs d'ondes respirèrent.

Ils étaient les premiers, à part L'Émir, qui n'était pas vraiment sûr de lui, à se retrouver face à face avec l'un des mystérieux ennemis que Perry Rhodan poursuivait depuis des années sans les avoir vus.

Le mur situé en face des mutants était totalement recouvert par un écran qui montrait l'inextricable réseau d'étoiles du Centre galactique. L'image était si réelle, l'espace si près apparemment, qu'ils durent faire un effort pour surmonter l'appel du vide. Un disque bleu-vert de la taille de la Lune occupait le centre de l'écran. Rakar avait si souvent vu Kahalo, sous tous les angles imaginables, qu'il la reconnut immédiatement.

Le Maître Insulaire resta quelques instants devant le mur-écran, puis il sortit par une porte si bien dissimulée que les mutants ne l'avaient pas remarquée jusqu'à présent.

Rakar osa enfin entrer en contact avec son frère,

qu'il sentait très tendu.

— C'était juste, souffla Tronar dans son micro de casque. Je ne suis toujours pas certain qu'il ne nous a pas repérés.

Rakar n'était pas de son avis.

— Nous devons éviter de le considérer comme un surhomme, conseilla-t-il. Même s'il dispose d'appareils capables de détecter le déflecteur, il ne nous attend pas et n'a aucune raison de les mettre en route.

Tronar, éprouvé par la séance de torture que lui avait infligée Korpel, se rasséréna quelque peu.

— D'accord, admit-il. Qu'est-ce que nous allons faire ?

— Pour l'instant, nous restons ici. Je suis curieux de savoir où il va.

L'image du mur-écran avait commencé à bouger. Le navire accélérait vers Kahalo. À deux cents kilomètres d'altitude, Rakar reconnut l'astroport planétaire, centré par un cercle de deux kilomètres ponctué par les six pyramides rouges.

La destination du navire était claire. Le Maître Insulaire se préparait à rentrer vers la Nébuleuse. De là, il réintégrerait certainement le futur, leur présent, par le transmetteur temporel de Vario. Rakar comprit que sa décision précipitée, dix minutes plus tôt, avait été la bonne. Le Maître Insulaire, mieux que Frasbur, allait les aider à rejoindre leur époque. Le seul problème, c'est qu'ils n'étaient pas préparés à affronter une transition galactique.

Il n'eut pas le temps de réfléchir plus longtemps à la question.

Soudain, un mur d'énergie tourbillonnante s'éleva devant le navire. Le champ du transmetteur ! Les deux mutants furent soudain pris de violentes nausées. Tronar perdit l'équilibre et chercha à se rattraper au mur. Le navire fut plongé dans des ténèbres zébrées de violentes décharges d'énergie.

Quelques fractions de seconde plus tard, tout était fini. Le navire venait de franchir instantanément un million et demi d'années-lumière ! Tronar, que son frère avait soutenu au dernier moment, n'en revenait pas.

— Incroyable, souffla-t-il. Ils ont réussi à annihiler totalement le choc de la transition sur l'organisme.

— Quand tu y réfléchis bien, cela n'a rien d'étonnant, dit Rakar en souriant. Ce sont eux qui ont inventé les transmetteurs géants. Ils doivent avoir mis au point ce système depuis des milliers d'années.

— Hum, fit Tronar. En tout cas, je suis content que cela se soit passé aussi bien.

Rakar réfléchissait déjà à la suite des opérations.

— Il va certainement rejoindre Vario. Il faut nous familiariser avec les lieux. Le voyage risque de durer encore un peu. Pour peu qu'il ait envie de faire quelques pas, il finira par nous marcher dessus, ici. La pièce est trop petite.

Il s'approcha du mur opposé et prit le risque de déconnecter son déflecteur. La porte s'ouvrit aussitôt sur un passage très court qui donnait accès à un sas de chaque côté. Pour la première fois, le mutant soupçonna que le navire où ils se trouvaient était peut-être très petit.

— Nous allons attendre ici, dans le passage, décida-t-il en réactivant son déflecteur. Le Maître Insulaire finira par revenir. Nous pourrons peut-être jeter un coup d'œil derrière les sas à ce moment-là. Vu l'épaisseur du tapis, il vaut mieux que nous enclenchions nos antigravs pour ne pas laisser de traces.

Ils se calèrent tant bien que mal dans le cul-de-sac du passage et attendirent. Vingt minutes plus tard, Regnal-Orton revint. La lourde cloison située à leur droite pivota dans son logement, révélant une pièce étroite, bourrée d'instruments.

Le Maître Insulaire paraissait soucieux. Il s'arrêta quelques instants dans le passage, regardant attentivement le sol. Les deux mutants n'étaient qu'à deux mètres de lui. Rakar frissonna. Cet homme était l'une des créatures les plus puissantes et les plus haïes de l'Univers. Personne n'avait jamais pu témoigner les avoir vus. Pour les Maîtres Insulaires, les individus et les peuples ne constituaient rien de plus que des pions qu'ils déplaçaient ou écrasaient à volonté.

— On dirait qu'il est tout seul à bord, dit Tronar une fois que Regnal-Orton eut réintégré son salon. Pour être franc, je n'ai pas envie d'entrer dans la pièce qui est à droite. Il y a trop d'appareils à l'intérieur et l'un d'eux pourrait nous repérer.

— Elle est aussi trop petite pour que nous puissions nous esquiver s'il revenait à l'improviste, ajouta Rakar. Essayons le sas de gauche.

La cloison s'ouvrit dès qu'il désactiva son déflecteur. La pièce, plus grande que les deux précédentes, était éclairée par une lumière plombée qui provenait des murs. La plupart des machines, probablement des générateurs, étaient disposées en anneau autour du passage central. Un bourdonnement très faible en provenait.

— Tu as remarqué que le plancher ne vibre pas du tout ? dit Tronar.

— Je peux te garantir que nos vaisseaux ne vibreront plus non plus dans vingt mille ans ! ironisa son jumeau.

Le mur situé à leur gauche avait une forme légèrement convexe.

— Le navire doit être ovoïde et il ne mesure pas plus de trente mètres de long pour huit mètres de large, observa Rakar. C'est une vraie coquille de noix !

L'homme en uniforme argenté traversait les galaxies dans le plus petit vaisseau spatial que les mutants aient jamais vu.

Soudain, le bourdonnement des machines monta dans l'aigu et le plancher commença à vibrer faiblement. Quelques secondes plus tard, tout était redevenu normal. Rakar comprit ce qui avait provoqué la surcharge d'énergie.

— Nous sommes dans l'espace linéaire, annonça-t-il.

— J'avais compris, figure-toi, protesta Tronar. Cela veut dire qu'il nous reste moins de trois quarts d'heure pour décider ce que nous allons faire une fois que nous serons sortis du transmetteur de Vario.

Rakar garda le silence. Il s'était aperçu, consterné, qu'il n'avait pas l'ombre d'un plan pour la suite des opérations. Qu'allait faire le Maître Insulaire ? Se poser sur Vario, poursuivre sa route ? L'idée de pouvoir rejoindre la planète des Maîtres Insulaires était tentante, mais ils avaient des priorités nettement plus urgentes. Si Perry Rhodan ne se trompait pas, il fallait avertir la Terre qu'une invasion venue d'Andromède était imminente. Ensuite, ils devaient essayer de trouver une solution pour permettre au *Krest III* de rejoindre le futur. Leur mission était claire et leur première étape était évidente. La clé de la porte temporelle se trouvait sur la planète Vario.

Rakar sut soudain ce qu'il fallait faire. Ils devaient s'emparer du petit navire et lancer un appel aux unités galactiques dès qu'ils auraient rejoint leur époque. S'ils avaient de la chance, ils pourraient même conduire le navire du Maître Insulaire à l'intérieur d'un supercroiseur, avec son propriétaire à l'intérieur !

— Cela ne va pas être si simple que cela, objecta Tronar quand il lui eut fait part de son plan. Le Maître Insulaire porte sûrement un écran individuel du même type sinon meilleur que celui d'Orghon et de Frasbur. Il nous faudra beaucoup de chance pour réussir à le maîtriser, si nous y arrivons, avant qu'il ne lance un appel à l'aide. Quant à Vario, la base planétaire doit être aussi bien défendue que la planète mère des Andromédans.

— D'accord, admit Rakar. Cela ne va pas être simple. Tu vois une autre solution ?

Tronar haussa les épaules en signe d'impuissance.

Ils décidèrent d'attendre Regnal-Orton dans le passage. L'endroit ne disposait pas d'appareils que le Maître Insulaire risquait de pouvoir utiliser contre eux. Leur meilleur atout était la surprise. Le succès de leur plan reposait entièrement sur leur rapidité.

Rakar n'arrivait pas à se défaire d'un sentiment de malaise en attendant face à la porte du salon. Ils ne savaient pas quand le navire atteindrait Vario. Il espérait qu'ils remarqueraient la transition temporelle, mais rien n'était moins sûr. Ce qui leur manquait, c'était un écran qui leur permettrait d'observer l'évolution du navire.

Tronar sentait son inquiétude.

— Qu'est-ce qui se passe ? s'inquiéta-t-il. Pourquoi es-tu si nerveux ?

— Il faudrait que nous entrions dans la cabine de pilotage, je veux…

— Tu commences à me plaire ! s'exclama Tronar. Il y a dix minutes, tu disais que…

— J'ai changé d'avis, l'interrompit Rakar. Il faut absolument que nous sachions où nous en sommes. Il faut courir le risque qu'un système de sécurité nous repère.

Tronar soupira mais n'ajouta rien.

Son frère se dirigea vers le sas du poste de pilotage, toujours suspendu en l'air par son antigrav. Une brève interruption du champ de déflection fit réagir les ultrasons de la cloison.

À première vue, la cabine ressemblait à un capharnaüm inextricable. On aurait dit que le principe de base du rangement des instruments reposait surtout sur le désordre. Déçu, le mutant s'aperçut vite qu'il n'y avait aucun écran dans la pièce. Pour travailler, les machines n'en avaient pas besoin.

— Rien, soupira-t-il.

Juste à ce moment-là, Tronar poussa un cri d'avertissement. Rakar se retourna brusquement. Une boule métallique grosse comme un ballon de football venait de surgir d'un fouillis de câbles. Rakar n'avait même pas eu le temps de sortir son radiant.

La sphère ne bougeait pas. Pourtant, Rakar sentait qu'elle représentait une menace.

Le mutant porta la main vers son arme. Tronar cria de nouveau. Rakar tourna la tête et le vit, les yeux écarquillés par la surprise, à l'entrée de la cabine.

Il le *voyait* !

La sphère devait être capable d'annihiler l'effet du déflecteur. Le mutant n'hésita plus. Il se retourna en braquant son radiant vers la sphère. Il allait appuyer sur la détente quand une voix retentit derrière lui :

— À votre place, je ne ferais pas ça !

Il laissa retomber son bras.

La voix s'était exprimée en téfroda. Rakar n'avait pas besoin de se retourner pour savoir qui avait parlé.

Il se retourna quand même. L'homme en tenue argentée se tenait sur le seuil de la cabine, les bras croisés. Il ne tenait aucune arme, mais le Chrystallien savait qu'il mourrait s'il tentait quoi que ce soit. Résigné, il remit son radiant dans son étui. Il éteignit son antigrav et prit pied sur le sol. Tronar l'imita.

— Bien, dit Regnal-Orton avec un sourire ironique. Voilà qui est mieux. Je viens juste d'être averti de votre présence à mon bord. Vous ne manquez pas de courage et je me sens obligé de vous accorder mon hospitalité. Je vous en prie, suivez-moi.

Ce n'était pas une demande mais un ordre. Le

Maître Insulaire recula d'un pas pour les laisser passer. En entrant dans le séjour, Rakar regarda tout de suite l'écran. Un disque brunâtre était suspendu dans le ciel. Ils étaient déjà arrivés près de Vario.

Il se sentait épuisé et abattu. Ils avaient voulu capturer le Maître Insulaire. Au lieu de cela, c'était lui qui venait de les prendre au piège. Rakar en était sûr, ils étaient arrivés au bout de la route.

CHAPITRE VII

— Installez-vous ici, par terre, ordonna Regnal-Orton. Je n'ai pas besoin de vous indiquer que je dispose de tous les moyens nécessaires pour vous obliger à rester en ma compagnie, n'est-ce pas ?

L'homme leva la main, les doigts écartés. Aussitôt, un rayon d'énergie incandescente se matérialisa juste devant Rakar, qui sursauta. Le faisceau creusa un trou noir dans le précieux tapis et disparut aussitôt.

— On ne prend jamais trop de précautions, vous ne trouvez pas ? reprit la voix doucereuse.

Il s'installa à son pupitre et le fit pivoter pour faire face aux deux mutants.

— Passons aux formalités, maintenant. Je m'appelle Regnal-Orton. Et vous ?

Rakar fit signe à Tronar de répondre aux questions du Maître Insulaire. Pendant que son frère faisait les présentations, il déplaça peu à peu ses mains dans son dos pour atteindre les petits générateurs fixés à son ceinturon. Pas un trait de son visage ne bougeait. Il s'aperçut très vite que le boîtier du générateur de déflection avait en partie fondu. Celui du générateur d'écran protecteur était si brûlant que le mutant sentit la chaleur à travers le gant de son spatiandre.

Il tourna la tête de côté pour observer Vario. Il reconnaissait certains détails de sa surface, presque uniformément couverte d'un désert monotone. Le navire devait se trouver à moins de cent kilomètres d'altitude. S'il devait trouver quelque chose pour renverser la situation, il fallait que ce soit dans les trois minutes suivantes. Sinon, il serait trop tard.

Malgré l'épaisseur du plastométal de ses gants, il sentit soudain un petit morceau de plastique qui bougeait sur le boîtier du déflecteur. Il repassa rapidement en revue mentalement le schéma du générateur et identifia très vite la pièce. C'était l'activateur de secours, prévu pour activer le déflecteur manuellement en cas de panne du boîtier de contrôle fixé au bras gauche.

Il fit jouer doucement la pièce, qui était sortie de son logement. S'il réussissait à la remettre en place, ils avaient encore une toute petite chance.

Regnal-Orton qui ne les quittait pas des yeux, ne soupçonnait rien du travail que Rakar faisait dans son dos. Seule une goutte de sueur qui perlait sur son front aurait pu trahir la tension qui l'habitait.

Concentré, le mutant n'entendait que des bribes de la discussion entre Tronar et Regnal-Orton. Apparemment, le Maître Insulaire voulait les emmener à son quartier général pour que les Andromédans « sachent enfin vraiment à quoi s'en tenir au sujet des Terriens ».

Tronar, qui avait compris que son frère préparait quelque chose, jouait le jeu à la perfection. Il se montrait aussi arrogant que possible pour piquer la curiosité de leur interlocuteur.

—J'admets que votre technologie est en avance sur la nôtre, dit-il. Mais cela ne nous gêne pas, au contraire. Nous considérons qu'une opération contre un adversaire qui nous est supérieur constitue un excellent défi à relever. Si j'étais vous, je me poserais des questions quant à ce qui se passera ici dans vingt ou trente ans !

Regnal-Orton sourit. Il s'apprêtait à répondre quand Rakar réussit à replacer le petit contacteur en plastique dans son logement.

Le Maître Insulaire se leva brusquement.

Rakar, effrayé, se demanda s'il avait remarqué quelque chose. Regnal-Orton se tourna vers le mur-écran et leva la main.

—Je suis désolé, mais nous allons devoir interrompre cette conversation. Nous arrivons devant la porte temporelle. Vous savez comment l'organisme réagit à une telle transition. Vous ne serez donc pas effrayés…

Il avait à peine fini sa phrase que l'écran se noya de gris. Rakar éprouva une désagréable sensation de légèreté. Son champ de vision donna l'impression de se rétrécir, comme si quelqu'un lui avait placé un long tube devant les yeux. La silhouette de Regnal-Orton s'éloigna rapidement de lui et s'enfonça dans l'obscurité.

Le mutant gardait les doigts crispés sur l'activateur de secours. Il ne pouvait pas se permettre de le lâcher.

Il fallait qu'il surprenne leur adversaire juste au moment où ils émergeraient du transmetteur.

Il s'enfonça à son tour dans une brume grisâtre cotonneuse où il n'y avait plus ni haut ni bas. Il éprouva une douleur aiguë et finit par s'apercevoir qu'elle provenait de ses doigts. Elle remonta le long de ses bras, puis dans son dos, irradiant chaque côté de sa cage thoracique surdéveloppée.

Soudain, sans qu'il puisse dire au bout de combien de temps, la brume se déchira. La lumière revint, d'abord timidement. Il distingua de nouveau le mur-écran, puis le visage de Regnal-Orton.

Rakar attendit encore deux à trois secondes que l'image se soit bien stabilisée, puis il lâcha le contacteur.

Le Maître Insulaire réagit avec une rapidité stupéfiante. Il recula pour se mettre à l'abri derrière son pupitre mais Rakar le précéda d'une fraction de seconde. Le mutant sentit un choc brutal. Regnal-Orton s'était entouré de son écran protecteur. Pour n'importe quel être vivant, l'homme était invincible. Pourtant, en une fraction de seconde, le mutant sut comment il pouvait l'atteindre.

Le Maître Insulaire tournait sur lui-même, ayant tout à coup perdu de sa superbe. Il ne savait pas de quelle direction la prochaine attaque allait venir. Rakar l'approcha du côté droit. En commençant à traverser son champ protecteur, il éprouva la sensation d'être piqué par des milliers d'épingles acérées. Regnal-Orton fit une nouvelle tentative pour atteindre son pupitre, mais Rakar le repoussa à nouveau. Il glissa et s'étala de tout son long en poussant un cri de rage. Quelques précieuses secondes allaient s'écouler avant qu'il ne puisse se relever. Ce bref répit était exactement ce dont le mutant avait besoin.

Il se dématérialisa et chercha à infiltrer l'écran protecteur. Cela n'avait rien à voir avec un voyage classique sur des ondes. Le réseau serré d'énergie était d'une complexité incroyable. Des milliers de nœuds de flux s'entrecroisaient. Aucune ligne ne conduisait directement au microgénérateur. Le Coureur d'ondes se sentait étiré de toutes parts. Sa substance menaçait de se répandre en milliards d'influx dissociés. Pour la première fois de sa vie, Rakar éprouva une sensation physique pendant qu'il se trouvait en état de dématérialisation.

Il comprit qu'il n'y arriverait pas et décida de rebrousser chemin. Hélas, le champ le tenait solidement et cherchait à anéantir l'énergie étrangère qui l'avait pénétré. Rakar sentit qu'il ne pourrait plus maintenir longtemps son intégrité structurelle. Il mobilisa toutes ses forces et toute sa volonté pour échapper à l'anéantissement.

Tout son univers de sensations bascula dans un éclair d'une violence inouïe.

Au même moment, il se sentit brûlé par une vague de chaleur et repoussé en arrière par le souffle d'une explosion. Il s'était rematérialisé !

Il ouvrit les yeux et sentit une odeur de brûlé. Tronar se tenait devant lui, le radiant à la main. Son frère regardait fixement quelque chose qui se trouvait derrière lui. Il tourna péniblement la tête et vit Regnal-

Orton allongé par terre, inconscient. Une vilaine blessure béait juste au-dessus de son genou droit.

— Je ne savais pas où tirer ! s'exclama Tronar. Je savais que tu étais quelque part dans l'écran, mais où ? J'ai hésité, mais il fallait que je tire. Avec la surcharge du tir, l'écran a implosé parce que tu lui pompais trop d'énergie. Nous avons eu de la chance...

Rakar hocha la tête en silence. Il avait eu raison, mais sans le tir de Tronar, il y restait. Il se releva et alla droit sur Regnal-Orton. Il posa la main sur son épaule pour voir si l'écran était encore là, mais il n'y avait plus rien. Ses doigts se posèrent sur l'étoffe métallique.

Le Maître Insulaire était à leur merci.

Rakar se releva et regarda le mur-écran. Vario s'était éloignée vers la droite et n'était plus visible qu'à moitié. Les étoiles scintillaient par milliards.

— *Des étoiles de notre époque,* songea le Coureur d'ondes.

Malgré les difficultés qui les attendaient, les jumeaux souriaient.

— C'était une longue route, pas vrai ? dit Tronar.

Rakar allait répondre quand quelque chose attira son attention sur l'écran.

— *Ce n'est quand même pas... ?* s'étonna-t-il.

Une deuxième explosion succéda presque aussitôt à la première. Les deux spationautes savaient parfaitement, pour en avoir vu des centaines de milliers, à quoi ressemblait la déflagration d'une bombe thermonucléaire. Le point de feu d'une blancheur insoutenable apparaissait, s'étendant doucement avant de jaillir de toutes parts en une sphère de gaz incandescents.

Ils arrivaient en pleine bataille spatiale !

Mais qui pouvait bien attaquer les Téfrodiens dans l'un de leurs systèmes les plus secrets ?

La réponse la plus probable était aussi la plus difficile à croire. Réginald Bull attaquait Vario !

En une fraction de seconde, Rakar comprit ce qui s'était passé. Le major Henderson, qui était resté en arrière du *Krest III* au moment où l'ultracroiseur s'était enfoncé dans le transmetteur temporel, avait réussi à rejoindre les forces solaires. Bull avait dû poster des unités tout autour du système pour attendre un hypothétique retour du vaisseau géant.

Le maréchal, qui commandait les escadres solaires rassemblées dans la Nébuleuse, en avait eu assez d'attendre. Il attaquait Vario.

Sa décision risquait d'avoir des conséquences catastrophiques. Rakar devait l'empêcher d'endommager les installations de la planète. S'il arrivait quelque chose au transmetteur, le *Krest III* ne reviendrait jamais !

Tronar avait également compris ce qui se passait. Il lança un regard interrogateur à son frère.

— Essaie de joindre un de nos navires par minicom, lui demanda Rakar. Les canons transformateurs provoquent des perturbations plus violentes qu'un orage magnétique, mais tu peux tenter ta chance…

Pendant que Tronar lançait son S.O.S., Rakar étudiait les commandes placées sur le pupitre de Regnal-

Orton. Il retrouva le contact vert que le Maître Insulaire avait pressé pour couper la communication avec Frasbur. Une ligne noire horizontale divisait le contact en deux zones. Un « 0 » était inscrit au-dessus, un « 1 » au-dessous. Il posa le doigt en haut du contact. L'écran s'alluma. L'appareil était alimenté… Comme il ne pouvait pas se permettre de chercher la fréquence de la flotte solaire, il commença immédiatement à parler, au risque d'être entendu par toute une flotte téfrodienne.

— Rakar Woolver au maréchal Bull. Me recevez-vous ? Rakar Woolver au maréchal Bull…

Les secondes s'écoulaient. Sur l'un des petits écrans du pupitre, placés au-dessus de l'écran de communication, Rakar voyait des échelles énergétiques varier en fonction des explosions qui se succédaient dans l'espace.

Soudain, une image apparut sur l'écran. Rakar ne connaissait pas l'homme, dont le visage trahissait la stupéfaction.

— Votre unité ? demanda le mutant.

— *Général Deringhouse*, commandant Bull, répondit l'homme.

— Ici Rakar et Tronar Woolver. Nous nous trouvons à bord d'une petite unité téfrodienne avec un Maître Insulaire que nous avons fait prisonnier. Demandez au maréchal de suspendre immédiatement son offensive sur Vario. Nous avons…

Le visage de l'officier fut remplacé sans transition par la tignasse rousse de Réginald Bull.

— Woolver ? s'exclama-t-il en reconnaissant le

mutant.

— Oui, nous…

— Venez immédiatement à bord ! s'exclama Bull sans lui laisser le temps de poursuivre. Nous allons débarquer sur Vario dans une demi-heure. Je ne peux pas garantir votre sécurité dans l'espace.

Rakar savait qu'il ne réussirait pas à convaincre Bull de renoncer à son offensive en lui expliquant le rôle de Vario. Il fallait qu'il attaque d'une autre manière.

— Tronar et moi pourrions vous rejoindre, mais nous avons aussi un passager à bord, un Maître Insulaire, lança-t-il.

Bull ouvrit la bouche et se pencha vers son écran, incapable de parler.

— Pourriez-vous nous envoyer un téléporteur pour le ramener à votre bord ?

Bull avait réussi à retrouver son souffle.

— Entendu. Que l'un de vous deux attende le téléporteur, mais que l'autre me rejoigne immédiatement, compris ?

— À vos ordres. Mais il y a autre chose…

— Oui ?

— Interrompez votre offensive sur Vario. Il me faudra un peu de temps pour vous expliquer pourquoi. Si vous continuez, vous risquez d'empêcher le retour du *Krest III*…

— Vous êtes sûr de vous ?

— Absolument, commandant, affirma Rakar sans sourire.

— D'accord, je donne les ordres correspondants. Je vous attends.

Rakar fit signe à Tronar.

— Ils ont braqué leur antenne sur nous. Rejoins-les le premier.

Le mutant voulut protester, mais il vit à l'expression décidée de son frère que cela ne servirait à rien. Sa silhouette devint translucide et il s'enfonça sous forme d'une spirale nébuleuse sur le côté du pupitre de Regnal-Orton.

Pendant qu'il attendait, Rakar réfléchissait. Si seulement les Terriens pouvaient récupérer non seulement Regnal-Orton mais aussi son navire ! D'ici quelques années, cette seule découverte permettrait aux ingénieurs solaires de faire un énorme bond technologique.

Il en arriva rapidement à la conclusion qu'il serait totalement irresponsable d'abandonner le navire. Il comprenait que Bull hésite à risquer quelques unités pour le récupérer mais, d'un autre côté, le navire du Maître Insulaire était suffisamment petit pour passer inaperçu face aux escadres téfrodiennes. Il allait falloir qu'il trouve un moyen de programmer le pilote automatique du navire.

Machinalement, il jeta un coup d'œil sur le mur-écran.

Les deux disques de métal mat étaient trop gros pour qu'il ne les voie pas. Deux croiseurs téfrodiens !

Ils avaient dû capter sa conversation avec Bull. Donc, ils savaient qu'un Maître Insulaire se trouvait à bord. C'était la seule raison qui les avait encore

97

empêchés de faire feu. Que se passerait-il si le petit navire se remettait en route ?

L'air devant lui commença à vibrer. La petite silhouette de Tako Kakuta, avec son éternel sourire, se rematérialisa.

— Ouf, vous arrivez bien, fit Rakar en montrant l'écran.

— Ne vous inquiétez pas, major, répondit le téléporteur. Des comme ça, il y en a plein dans le coin, et même des beaucoup plus gros ! C'est lui que je dois emmener ?

— Allez-y, je vous rejoins, opina Rakar.

Il était évident qu'ils ne pourraient pas récupérer le navire.

Le Coureur d'ondes disparut une fraction de seconde après Kakuta et Regnal-Orton. Il se rematérialisa au central du *Général Deringhouse*, juste à côté de Bull.

— Tako a emmené le prisonnier à l'hôpital de bord. Nous n'avons pas de temps à perdre, suivez-moi !

Sans chercher à comprendre, Rakar emboîta le pas au plus vieil ami de Perry Rhodan. Un simple coup d'œil sur l'écran panoramique lui apprit que Bull avait tenu sa promesse. Les unités solaires s'étaient retirées. Vario apparaissait au loin sous forme d'un petit disque brillant.

Une minute plus tard, les deux hommes entraient à l'hôpital de bord.

Regnal-Orton, nu, était allongé sur une table d'opération. Un boîtier transparent avait été placé autour de sa jambe à l'endroit de la blessure.

— Nous lui avons administré un calmant, il dort, prévint le médecin.

— Ce sont des hommes comme nous ! s'exclama Bull après avoir observé le corps immobile. Je ne sais pas pourquoi, mais je m'étais toujours imaginé qu'ils devaient être aussi monstrueux physiquement que moralement.

Rakar, qui avait également examiné Regnal-Orton, s'aperçut qu'au lieu d'une petite dépression, son thorax avait une petite bosse sous le plexus solaire, à l'endroit où les côtes inférieures se rejoignent. Il le fit remarquer à Bull.

— Vous avez déjà remarqué ça ? demanda le rouquin aux médecins.

— Oui, commandant. Nous l'avons examiné au scanner. La bosse est produite par un objet métallique ovoïde de quatre centimètres de diamètre pour un et demi de large.

— Un activateur cellulaire ! s'exclama Bull. Les Maîtres Insulaires sont immortels !

— Sortez-moi ça ! ordonna-t-il abruptement. Cela lui donnera sûrement envie de se presser pour répondre à nos questions.

— À vos ordres, répondit le médecin.

Un médirobot pratiqua une petite incision sous les côtes et sa pince saisit délicatement l'activateur pour l'extraire. L'extraordinaire petit appareil était à peine sorti qu'une incroyable transformation s'opéra.

Regnal-Orton poussa un cri en se redressant à demi, les yeux écarquillés. En l'espace d'une seconde, ses orbites se creusèrent, sa peau prit l'aspect du vieux parchemin, ses cheveux, d'un noir de jais, blanchirent totalement, ses membres se recroquevillèrent. Ses forces l'abandonnaient. Il retomba sur la table d'opération et ferma les yeux.

Surpris, les Terriens s'étaient reculés. Bouche bée, l'un des médecins tenait l'activateur qui avait maintenu le Maître Insulaire si longtemps en vie.

Réginald Bull fut le premier à retrouver l'usage de la parole.

— Je crois que j'ai fait une erreur. Il est mort ?

L'un des médecins posa les doigts sur le cou de Regnal-Orton.

— Oui, fit-il en rabattant le drap sur le corps.

Pendant que la flotte solaire était en route pour rejoindre la périphérie de la Nébuleuse, Réginald Bull s'entretenait avec les jumeaux Woolver dans sa cabine.

Le maréchal se faisait d'amers reproches. Non seulement il était responsable de la mort du prisonnier le plus important que les forces solaires aient fait depuis plusieurs années, mais même l'activateur avait disparu. Il s'était totalement consumé quelques minutes après la mort de Regnal-Orton.

— Expliquez-moi pourquoi vous m'avez demandé d'annuler l'opération contre Vario, demanda-t-il à Rakar d'un ton rogue.

Le Coureur d'ondes s'apprêtait à répondre, quand Bull changea d'avis.

— Attendez, dites-moi plutôt si les Maîtres Insulaires sont au courant de notre existence et du rôle que nous jouons ?

— Oui, depuis pas mal de temps, lança rapidement Rakar avant que le maréchal ne lui pose une autre question.

Contrairement à toute attente, Bull poussa un soupir de soulagement. En décidant d'attaquer Vario de front, il avait brisé la règle de discrétion que Perry Rhodan avait toujours imposée depuis qu'ils se trouvaient dans la Nébuleuse.

— Concernant ma première question, reprit-il, il est bien évident que je n'aurais pas détruit toute la planète et...

— Pardonnez-moi, commandant, l'interrompit Rakar. Le Stellarque ne se trouve pas sur Vario. Pour le moment, le *Krest III* se trouve à deux mille six cents années-lumière de Kahalo...

Bull se redressa sur son siège, raide comme un piquet.

— ... et cinquante mille ans dans le passé ! Le transmetteur temporel qui nous y a envoyés est contrôlé depuis Vario. C'est pour cela que je voulais éviter que la station ne soit endommagée.

Une minute s'écoula sans que Bull puisse ajouter quoi que ce soit. Finalement, il poussa un gros soupir et dit :

— Pourriez-vous me répéter tout ça calmement, Woolver ?

Relayé à certains moments par Tronar, Rakar raconta tout ce qui leur était arrivé depuis que le *Krest III* avait disparu dans le transmetteur temporel.

Réginald Bull ne lui coupa pas la parole une seule fois. Pour un homme comme lui, c'était une performance exceptionnelle.

DEUXIÈME PARTIE

COMMANDO ESPACE-TEMPS

CHAPITRE PREMIER

L'ultracroiseur *Général Deringhouse* se trouvait en bordure de la Zone interdite, à dix mille années-lumière du Centre d'Andromède. Selon la technique préférée de l'astromarine solaire, il s'était placé en orbite autour d'un soleil pour échapper aux détecteurs téfrodiens.

En cette fin du mois de mai 2404, ce n'était pas le présent qui préoccupait Réginald Bull mais le passé. Celui où Perry Rhodan s'était retrouvé catapulté avec le *Krest III*. Un passé éloigné de près de cinq cents siècles.

Le piège temporel des Maîtres Insulaires avait fonctionné à la perfection, ou presque… Non seulement le *Krest III* avait jusqu'à présent réussi à échapper à la destruction, mais deux de ses hommes venaient de rejoindre le futur.

Réginald Bull marchait à grands pas dans sa cabine, meublée de manière très spartiate. Il avait déjà entendu le rapport des jumeaux trois fois, mais il leur

105

lançait toujours des regards incrédules.

— Donc, les Maîtres Insulaires s'approvisionnent en hommes dans le passé, c'est bien ça ?

— Nous n'avons pas eu le temps d'interroger Regnal-Orton à ce sujet, rappela Rakar. Pour l'instant, je crois que notre priorité est de récupérer le *Krest III* et de détruire le transmetteur temporel de Vario.

— Exactement. Ne vous inquiétez pas pour ça, assura Bull. Le *Velta* sera là d'ici quelques jours. Nous pouvons nous fier au colonel Fracer Matenbac, il ira jusqu'au bout de sa mission. Je serai content de revoir Lémy Danger, reprit-il au bout d'un instant. Faites seulement attention de ne pas l'écraser par mégarde si vous le croisez dans une coursive !

Tako Kakuta, le téléporteur, sourit.

— Le petit va ouvrir de grands yeux en apprenant qu'il va devoir retourner cinquante mille ans dans le passé. Ni lui ni moi n'avons jamais fait un voyage aussi long !

— Cela va vite et la transition n'est pas spécialement douloureuse, observa Rakar. Le plus surprenant, c'est de voir la Terre telle qu'elle était à cette époque, avec Lémuria, le continent du Pacifique, et l'Atlantide. Les Lémuriens vont bientôt être obligés de l'évacuer.

— Et dire que l'on pourrait influencer tout l'avenir de la Terre en intervenant, soupira Tako.

— N'y pensez même pas ! s'exclama Bull. J'ai le vertige rien qu'en pensant à ce qui pourrait se passer !

— Vous avez failli pourtant changer l'avenir, observa Rakar.

— Ah oui, comment ? riposta le maréchal.

106

— Si vous aviez détruit Vario, Perry Rhodan et le *Krest III* auraient été prisonniers du passé pour toujours et l'Empire solaire n'existerait sans doute pas…

Bull soupira.

— Tout ça, ce sont des spéculations. J'ai hâte que nous commencions à agir. Cela fait cinq jours que nous attendons le *Velta* ! Le plan que les jumeaux ont mis au point paraît fou, mais je ne vois pas de meilleure solution pour ramener Perry ici. De toute façon, il faut le rassurer et lui dire que la Galaxie ne sera pas surprise par une attaque des Maîtres Insulaires.

Le bourdonnement de l'intercom l'interrompit.

— Le *Velta* vient d'entrer en contact avec nous, commandant, dit Rondo Masser, l'Epsalien qui commandait le *Général Deringhouse*.

— Enfin une bonne nouvelle ! Merci, colonel, répondit Bull.

— Il est temps que je fasse mes valises, si je comprends bien, dit Tako en souriant.

Bull le regarda, l'ai gêné.

— Eh oui, il va falloir y aller.

Le lieutenant-colonel Stef Huberts, second du *Général Deringhouse*, était un homme de haute taille qui gardait son calme quelles que soient les circonstances. Il se reposait dans sa cabine quand il reçut l'ordre de se présenter au mess des officiers pour le dernier briefing de la mission du *Velta*.

— Je suis déjà en route, commandant, affirma-t-il.

— Hum, Huberts, ajouta l'Epsalien. Essayez de fermer votre col, pour une fois.

— J'y veillerai, assura le second.

Il vérifia une dernière fois sa tenue avant de sortir. Ses bottes brillaient, son radiant, doté d'un magasin d'énergie neuf, étincelait, son uniforme n'avait pas un pli.

Le réseau de bandes de transport à vitesse compensée et les puits antigravs de l'immense sphère de deux kilomètres et demi de diamètre permettaient à n'importe quel homme de l'équipage de rejoindre son poste en moins de deux minutes en cas d'alerte.

Stef Huberts ne se pressait pas. Il savait qu'il avait besoin d'une minute tout au plus pour rejoindre le mess. Il s'apprêtait à y entrer quand une petite voix flûtée le surprit :

— Si cela ne vous gêne pas, colonel, je préférerais que vous laissiez vos pieds là où ils se trouvent pour le moment !

Le jeune homme s'immobilisa en cherchant autour de lui qui avait bien pu lui adresser la parole. Ne voyant personne, il repartit :

— Je vous demande pardon ?

— Vous avez de grands pieds, colonel, reprit la voix. Roberts baissa la tête et écarquilla les yeux.

— Désolé, mon général, j'ai bien failli ne pas vous voir.

— Pas étonnant, riposta Lémy Danger. Vous m'avez l'air un peu dans la lune ! Merci en tout cas de vous être arrêté.

— Lieutenant-colonel Stef Huberts, second du *Général Deringhouse*. Heureux de faire votre connais-

108

sance, mon général, se présenta l'officier.

— Tout le plaisir est pour moi, colonel, assura Lémy.

Huberts était vraiment ravi de rencontrer celui dont les exploits avaient déjà fait le tour de toutes les escadres de l'astromarine. Des exploits si invraisemblables que le jeune homme s'était toujours demandé s'il ne s'agissait pas de l'une de ces légendes que les spationautes aiment colporter.

À elle seule, l'apparence de Lémy Danger était déjà un défi à la raison. Le Sigan était indiscutablement humanoïde, mais il mesurait seulement vingt-deux centimètres *et* deux millimètres sans talons. Sous une gravité normale, son poids ne dépassait pas huit cent cinquante grammes, mais il était capable de soulever jusqu'à cinq kilos, soit six fois son poids. Une force qui lui avait valu un titre planétaire de champion d'haltérophilie sur Sigan. Lémy Danger était âgé de cent soixante-dix ans, mais il pouvait raisonnablement espérer atteindre les neuf siècles.

—Auriez-vous l'obligeance d'ouvrir la porte, maintenant, reprit Lémy avec son habituelle courtoisie. J'ai peur que nous n'arrivions trop tard, sinon.

Huberts fit un pas en avant et déclencha le mécanisme d'ouverture. Placé à hauteur d'homme.

— Après vous, mon général.

Les principaux responsables de l'opération étaient installés autour d'une grande table en fer à cheval. Le colonel Fracer Matenbac avait pris place à côté de Réginald Bull. Petit, blond, il avait une tendance certaine à l'embonpoint. Il se leva brusquement en voyant Lémy Danger et s'écria :

— Le voilà enfin ! Nous commencions à nous demander si quelqu'un ne vous avait pas enfermé par mégarde, général !

Très digne, le Sigan fit le tour de la table et salua Bull.

— Content de vous revoir, messieurs. Je suis fort aise de pouvoir vous être utile.

— Je propose que vous vous installiez sur la table, Lémy, dit Bull. Nous ne voulons pas que la conférence se déroule au ras des pâquerettes…

— Si vous voulez, vous aussi, faire allusion à ma taille, maréchal, riposta gentiment le Sigan, permettez-moi de préciser que l'appréciation que vous pouvez porter à son sujet est toute relative. Pour moi, c'est *vous* qui déviez de la norme… Quelqu'un aurait l'obligeance de me monter au niveau de la table ?

Stef Roberts, qui avait suivi Lémy, se pencha, la main tendue. Le Sigan s'installa dans sa paume comme dans un fauteuil et lança un regard narquois à Bull pendant que le second le déposait.

Rondo Masser, le commandant du *Général Deringhouse*, fit glisser sa boîte à cigares dans la direction du petit général pour qu'il s'en serve comme siège.

— Pour ce qui me concerne, vous pouvez y aller, maréchal, dit Lémy.

En l'absence de Perry Rhodan, Réginald Bull commandait l'ensemble des forces de l'Empire solaire.

— Vous connaissez tous la situation, commença-t-il. Nous devons prévenir le Stellarque que nous

110

avons mis la Galaxie en état d'alerte et essayer de ramener le *Krest III* dans le présent. Nous ne savons pas si l'ultracroiseur se trouve toujours près du soleil Redpoint, là où les majors Woolver l'ont laissé, mais le premier problème que nous avons à résoudre, c'est d'envoyer le *Velta* à travers le temps sans que les Maîtres Insulaires se doutent qu'il s'agit d'une transition volontaire. Colonel Matenbac, veuillez nous préciser où en sont vos préparatifs…

— Nous avons transformé le *Helltiger* selon vos instructions, commandant, affirma Fracer Matenbac en croisant les bras.

— Je ne suis pas sûr que chacun ici sache ce qu'est le *Helltiger*, colonel, rappela Bull.

— Le *Helltiger* est un navire spatial spécialement conçu pour être piloté par le général Danger, précisa le colonel. Malgré ses trois mètres de long, il dispose d'un microkalup siganien qui lui assure un rayon d'action de deux cent cinquante mille années-lumière et d'un canon transformateur de proue pour des bombes d'un gigatonne. Deux équipements complets ont été préparés pour le général. Le premier est à bord du *Helltiger*, le second restera à bord du *Velta*. En cas de besoin, le téléporteur Tako Kakuta pourra le mettre à la disposition du général Danger.

« Deux autres unités spéciales ont été préparées à bord du *Velta*. La première corvette est totalement robotisée. En cas de besoin, elle peut être pilotée par un seul homme. La deuxième, la *Talla*, a été transformée pour ressembler parfaitement à un transporteur militaire de la flotte téfrodienne. Le premier navire maahk qui croisera sa route la prendra immanquable-ment en chasse. Évidemment, la *Talla* cherchera à se réfugier en direction de Vario…

— Vous oubliez quelque chose, colonel, intervint Bull.

— J'allais y venir, commandant, reprit Matenbac. La *Talla* ne porte pas seulement un nom téfrodien. Quarante-trois corps de Téfrodiens récupérés par nos unités après des combats contre les Maahks y ont été placés. Le capitaine Capenski et cinq autres officiers de la Sécurité galactique amèneront la *Talla* à proxi-mité d'une escadre maahk. Ils la quitteront à bord de trois chasseurs dès que les Maahks ouvriront le feu sur la corvette. Ils s'en empareront et mettront la main sur les précieuses informations contenues dans le cerveau P du bord. Ces informations, que nous avons soigneu-sement préparées, devraient les inciter à attaquer Vario. La bataille devrait nous permettre de nous glisser à travers le transmetteur temporel sans être remarqués par les Téfrodiens…

— Quand partons-nous ? demanda Lémy Danger en se levant.

— La transformation de la *Talla* n'est pas encore totalement achevée, répondit Bull. La corvette *R-10*, elle, est prête. Le *Helltiger* se trouvera à son bord. Les travaux devraient être finis d'ici deux jours, c'est-à-dire peu avant que nous arrivions en vue de Vario. Autrement dit, nous allons pouvoir lever l'ancre…

— Une question, si vous permettez, commandant, intervint le colonel Matenbac.

— Allez-y.

112

— D'après ce que l'on m'a dit, les majors Woolver ont capturé un Maître Insulaire. À quoi ressemblait-il physiquement ? demanda-t-il en se tournant vers les Coureurs d'ondes.

— C'était un homme comme vous et moi, colonel, répondit Tronar.

— Et il portait un activateur cellulaire qui le rendait relativement immortel ?

— En effet.

— Nos analyses, à la Sécurité, indiquent que cela pose plus de questions que cela n'en résout, affirma Matenbac.

— Nous sommes loin d'avoir résolu le mystère des Maîtres Insulaires, repartit Réginald Bull. Qui sait d'où ils viennent vraiment ? Peut-être n'existeraient-ils pas s'il n'y avait pas de transmetteur temporel…

— Que voulez-vous dire ? s'étonna Matenbac.

— Rien, juste une idée farfelue qui m'a traversé la tête, répliqua Bull. L'avenir se chargera de nous montrer si j'ai raison. Pour l'instant, occupons-nous de l'opération « retour vers le passé ».

Le *Général Deringhouse* et le *Velta* abandonnèrent l'étoile verte qui les abritait depuis plusieurs jours.

Une demi-heure plus tard, les deux vaisseaux pénétraient la Zone interdite en vol linéaire. Entourée par l'Empire de Téfrod, cette zone était en principe inaccessible à tout navire autre que téfrodien. Depuis la révolte des Maahks, les Téfrodiens avaient renforcé leurs patrouilles d'interception. Leurs escadres croi-

113

saient sans relâche pour défendre le cœur de l'empire des Maîtres Insulaires.

En réintégrant le continuum pour faire le point, les deux vaisseaux détectèrent à plusieurs reprises d'importantes forces téfrodiennes, mais aussi des escadres maahks. Grâce à l'avantage que leur procuraient leurs transmetteurs de situation, capables de déverser des flottes entières n'importe où dans la Nébuleuse, les Téfrodiens avaient encore le dessus, mais les Terriens, qui connaissaient mieux que personne l'opiniâtreté des Méthaniens, pariaient sur leurs chances. Sans qu'aucun contact officiel ait jamais été établi entre l'Empire solaire et les Maahks, leur alliance était objective. De temps à autre, des unités solaires étaient intervenues au côté des navires cylindriques noirs pour les tirer d'affaire face aux Téfrodiens, pourtant humains.

À bord du *Velta*, les derniers préparatifs allaient bon train. Dans ses soutes, la *R-10*, avec les Woolver, Tako Kakuta, Lémy Danger et son *Helltiger*, était prête à partir, tandis que le capitaine Capenski et ses cinq hommes de la Sécurité se préparaient à intégrer la *Talla*.

Après deux jours de traversée, les détecteurs du *Général Deringhouse* annoncèrent qu'ils approchaient d'une forte escadre maahk.

Le moment d'agir était venu.

Le sergent Malaguti, l'un des cinq agents de la Sécurité sélectionnés par Capenski, se retournait en reniflant dans le poste de pilotage de la *Talla*.

— Je n'aime pas beaucoup ça, grogna-t-il. Nous voilà transformés en croque-morts.

—Arrête, tu vas nous attirer le mauvais œil, riposta son ami Cozzini, sergent comme lui. On s'en moque, des trente-quatre Téfrodiens morts. L'essentiel, c'est que les Maahks mordent à l'hameçon.

— Et s'ils les autopsient ? rétorqua Malaguti. Ils s'apercevront qu'ils sont morts depuis pas mal de temps !

— Vu la température qui règne à bord, m'est avis qu'ils n'y verront que du feu !

L'écran de la corvette ne montrait que le hangar du *Velta*.

— Alors les gars, on s'ennuie ? demanda le capitaine Capenski en entrant dans le poste. Pourtant, il y a de l'action dehors !

— Si on voyait quelque chose, au moins ! maugréa Malaguti.

—Un peu de patience, sergent. Vous savez bien que nous allons nous retrouver d'ici peu au milieu de la mêlée et que nous resterons à bord jusqu'à ce que la première salve fasse éclater la coque ! lança le capitaine en souriant. Vous feriez mieux d'aller vérifier que les Mosquitos sont prêts à partir, Cozzini.

Les paroles de l'officier avaient jeté un froid. Les spationautes de l'astromarine n'aimaient rien tant qu'un peu d'action, mais ils n'aimaient pas qu'on leur rappelle qu'ils risquaient leur vie à tout moment.

Capenski s'installa aux commandes et attendit l'ordre de décollage.

Vingt secondes plus tard, la massive porte du hangar, située juste au-dessus de l'anneau de propulsion de vaisseau, s'ouvrit. Dans le hangar, isolé du vide par un champ de force, la corvette transformée en transporteur téfrodien glissa de plus en plus vite sur son rail magnétique.

La *Talla* accéléra à fond en se dirigeant vers le centre de la bataille titanesque qui opposait plusieurs milliers de navires cylindriques maahks à des Téfrodiens qui étaient pour l'instant encore inférieurs en nombre. L'anneau rouge géant qui s'était matérialisé en bordure du champ de bataille déversait sans cesse de nouvelles unités.

Comme les analystes de la Sécurité l'avaient prévu, la *Talla* fut rapidement prise en chasse par un croiseur méthanien. Dès qu'il fut sûr que le navire ne les lâcherait plus, Capenski attendit le premier tir au but pour déclencher la charge qui devait faire exploser le générateur d'écran protecteur dans la salle des machines. Dès lors, il n'avait plus beaucoup de temps. Il enclencha le programme de pilotage automatique, qui devait donner l'impression que la *Talla* était désemparée.

Le capitaine, suivi par le sergent Malaguti, rejoignit en courant la petite soute où les trois chasseurs les attendaient. Installé dans le cockpit, Capenski observait l'approche du navire noir. Dès qu'il fut évident qu'il s'apprêtait à aborder, il donna l'ordre d'évacuer la *Talla*, dont le sas était déjà grand ouvert.

*
**

Le commandant maahk ne voulait courir aucun risque. Le petit navire ne ripostait pas, mais il fit quand même donner une nouvelle salve. La coque explosa, libérant de multiples débris, parmi lesquels les Maahks identifièrent plusieurs corps de Téfrodiens.

Au même moment, leurs détecteurs enregistrèrent le départ de trois petites unités. Les rescapés envoyaient en continu un appel de détresse en téfroda.

Avant que le commandant ait pu ordonner de les poursuivre, les trois capsules de secours avaient disparu dans l'espace. Le Maahk reporta son attention sur l'épave de la *Talla*

Il s'appelait Raka-7 et appartenait depuis qu'il était adolescent au Mouvement des Maahks libres. Tous ses membres avaient juré de sacrifier leur vie dans leur lutte contre la tyrannie des Maîtres Insulaires. La mort héroïque de Grek-1 avait servi de déclencheur à la rébellion. Raka-7 reprochait depuis longtemps aux chefs du MLM leurs hésitations. Il avait été du premier groupe qui s'était emparé des bâtiments officiels de sa planète, défendus jusqu'au bout par des traîtres, des Maahks fidèles aux tyrans.

C'était la première fois que Raka-7 avait l'occasion de mettre la main sur un navire presque intact des Téfrodiens.

— Nous envoyons un commando de prise, commandant ? demanda Bron, le second.

— Bien sûr. Vous en prendrez personnellement la tête. Essayez en priorité de vous assurer des banques de navigation positroniques. Examinez soigneusement chaque salle. Cherchez le moindre indice qui pourrait nous indiquer les coordonnées de leur monde d'origine. Il faut que nous découvrions le plus rapidement possible les planètes où sont leurs chantiers astronavals.

— Ne vous tracassez pas, commandant, assura Bron. S'il y a quelque chose à trouver, nous le trouverons.

— Bien, ne perdez pas de temps. Il faut que nous revenions le plus vite possible vers le gros de l'escadre.

Bron salua et se hâta de rassembler son commando.

Les cinq Maahks, équipés de spatiandres lourds, n'avaient qu'une vingtaine de mètres à franchir pour passer du sas de leur navire à l'épave.

Tout autour d'eux, de lointaines explosions de lumière trahissaient l'acharnement de la bataille qui se déroulait dans un rayon de quelques minutes-lumière.

Bron et ses hommes ne s'en occupaient pas. Ils avaient une mission à remplir, rien d'autre ne comptait à leurs yeux. Les radiants lourds braqués, ils pénétrèrent dans la *Talla* sans rencontrer de résistance. Bron, qui connaissait bien l'architecture des unités téfrodiennes, n'eut pas le moindre soupçon. Il ne pouvait savoir que les vaisseaux terriens, arkonides et téfrodiens ne différaient que par des détails mineurs.

Ils se dirigèrent tout de suite vers le poste de pilotage. La cloison étanche était bloquée. Ils durent la faire sauter au radiant. À l'intérieur, deux corps flottaient dans le vide.

118

Les fuyards avaient manifestement essayé de détruire plusieurs pupitres mais, pressés par le temps, ils n'avaient fait le travail qu'à moitié.

— La positronique a l'air encore en bon état, dit Bron. Pril, ordonna-t-il à l'un de ses subordonnés. Essayez d'extraire les banques mémorielles de la navigation.

Pendant ce temps, le second fouillait avec soin le pupitre des transmissions, à la recherche de tables de mémobulles de cryptage.

Quak, le Maahk que Bron avait envoyé à la salle des machines, les rejoignit.

— Il n'y a pratiquement pas de dégâts, annonça-t-il. Le navire aurait même pu passer en vol linéaire. Ce qui m'étonne, c'est que la plupart des hommes d'équipage étaient probablement morts avant l'attaque.

— Cela m'a également frappé, dit Bron en inclinant légèrement sa tête en croissant. Ils avaient déjà dû être attaqués il y a quelques jours. Cela explique pourquoi ils ont quitté le navire si rapidement.

Pril, qui s'affairait sur le pupitre de navigation, attira l'attention de son chef.

— Bizarre, dit-il. Les données paraissent intactes, mais elles ne concernent apparemment qu'une seule et unique planète du nom de Vario.

— Jamais entendu parler, dit Bron. Peu importe, sortez tout ce que la positronique a dans le ventre. Passez-moi déjà ce que vous avez pu imprimer. Nous ferons décrypter les mémobulles à bord.

Bron s'empara des feuillets et lut à haute voix :

— Vario, unique planète d'une supergéante bleue.

Distance au Centre galactique, 18 années-lumière. Aucune donnée géophysique disponible. Seules mentions : la planète est l'un des principaux centres industriels d'armement de l'Empire. Sortez tout, Pril ! ordonna Bron. Il faut absolument que toutes ces données soient analysées à bord du navire. Il nous manque les coordonnées galactiques exactes ?

— Oui, Bron, assura Pril. Il y a même d'autres données concernant ce que les Téfrodiens fabriquent sur Vario…

— Et alors ?

— Une nouvelle arme de destruction massive, apparemment.

— Quoi ? Dépêchons-nous de rentrer !

Les cinq Maahks ressortirent par une déchirure de la coque pour gagner du temps.

Sitôt à bord du navire noir, Bron fit son rapport au commandant.

— Bravo, Bron, le félicita Raka-7. Notre petite opération aura eu des résultats inespérés. Je vais immédiatement alerter le commandement général de la flotte. D'après ce que vous me dites, il faut attaquer Vario sans attendre. Veillez à ce que toutes les données positroniques soient transcrites de manière à pouvoir être transmises rapidement par liaison hypercom. La planète doit être défendue par toute une flotte… L'amiral décidera. Prenez les commandes pour nous ramener vers le gros de nos forces. Ah, j'oubliais, dit le commandant qui se préparait à rejoindre sa cabine. Évitez tout engagement avec les Téfrodiens !

120

Le navire noir accéléra, laissant derrière lui l'épave de la *Talla*.

Le petit navire avait parfaitement rempli son rôle d'appât.

d'épave.

CHAPITRE II

La fuite des trois chasseurs ne se passa pas aussi bien que le capitaine Capenski l'avait espéré.

Les deux Mosquitos pilotés par Cozzini et Malaguti purent rejoindre le *Velta* sans difficulté. Une fois à bord, les deux pilotes, qui avaient pour consigne d'observer le silence radio, s'aperçurent que le chasseur du capitaine et du sergent Jossi n'était pas là.

Capenski était un officier expérimenté, mais il n'avait piloté les Mosquitos jusqu'à maintenant que sur simulateur. L'ivresse de se retrouver aux commandes d'une petite machine aussi puissante et aussi maniable, sous le firmament dense du Centre de la Nébuleuse, lui fit commettre une erreur.

Quelques minutes après avoir quitté l'épave, il poussa sur son palier de commande.

— Qu'est-ce qui se passe, mon capitaine ? s'inquiéta Jossi. On nous poursuit ?

La remarque du sergent le ramena à la réalité, mais il préféra mentir plutôt que d'avouer ce qui s'était vraiment passé.

— Une escadrille téfrodienne menaçait de nous intercepter. Malaguti et Cozzini sont passés, mais nous ferions mieux de faire un détour pour rentrer.

Les yeux brillants, Capenski poussa l'appareil jusqu'à une vitesse proche de celle de la lumière, s'éloignant du *Général Deringhouse* et du *Velta*. Automatiquement, le chasseur enclencha son kalup. Lorsqu'il s'aperçut qu'ils venaient d'entrer dans la grisaille de l'espace linéaire, Capenski comprit enfin qu'il avait commis une grave erreur. Ils retrouveraient sans mal l'emplacement des deux ultracroiseurs, à condition toutefois qu'ils n'aient pas été obligés de se déplacer dans l'intervalle.

La peur remplaça progressivement le sentiment de libération qu'il avait éprouvé.

— Nous sommes à trois années-lumière de la position des vaisseaux, signala Jossi, qui commençait à s'inquiéter.

— Je sais, confirma Capenski. Je crois que cela suffit. Nous allons faire demi-tour.

Trois minutes plus tard, le Mosquito rejoignait le continuum à l'endroit précis où il l'avait quitté. Le capitaine enclencha l'hypercom, espérant capter un message qui leur était destiné. Mais il n'y avait rien, à l'exception d'une balise qui émettait un message codé hypercondensé. Le cerveau P lui en donna aussitôt la traduction : « Position changée, cap sur Vario. Rejoignez-nous là-bas en vous guidant sur la balise. Fin. »

— Nous voilà frais ! pesta le sergent, qui avait

entendu le message.

— Nom d'une pipe, s'exclama Capenski. Vario !
C'est à dix mille années-lumière d'ici ! En plus, le
plan de vol prévoyait que le *Général Deringhouse*
mette deux jours pour y arriver le plus discrètement
possible. Dieu sait où les vaisseaux vont se trouver
d'ici là.

Le capitaine frappa du poing l'accoudoir de son
fauteuil anatomique. Il venait seulement de comprendre l'étendue de sa stupidité. Non seulement il avait
cédé aux sirènes du grand large, mais il s'était aussi
offert le luxe d'une désobéissance qui pouvait lui
valoir une rétrogradation d'au moins cinq ans.

Maintenant, il était trop tard pour y changer quoi que
ce soit. Il fallait qu'il essaie de les sortir tous deux
d'affaire.

— Vous avez les coordonnées de Vario ? demanda-
t-il à Jossi.

Comme à bord de toutes les unités embarquées sur
le *Velta*, la positronique du chasseur avait été mise à
jour.

— Oui, commandant. On ne peut pas la manquer.
Elle est à six années-lumière de l'épicentre astrono-
mique de la Nébuleuse. Nous pouvons l'atteindre en
deux heures en vol direct.

— Nous sommes plus en sécurité ici. Il vaut mieux
attendre que les ultracroiseurs arrivent dans les parages pour y pointer notre nez. Vario doit être totalement
bouclée par les Téfrodiens. Il y a un petit soleil jaune
à proximité. Peut-être a-t-il des planètes ?

— Oui, cela nous évitera de devenir claustrophobes,

124

grommela Jossi, qui n'était pas dupe de ce qui s'était vraiment passé.

— Allons-y, alors.

Capenski accéléra de nouveau. Cette fois, ce n'était pas par simple plaisir de pousser la machine.

Dix minutes plus tard, Jossi annonçait les premiers résultats des détecteurs.

— La deuxième planète a le profil type de la Terre. Atmosphère à composante majoritaire d'oxygène, gravitation 1,1 G, des mers et des continents. Échantillons de températures compatibles avec les formes de vie carbone-oxygène. Nous avons de la chance, si l'on peut dire…

Capenski ne releva pas l'allusion du sergent. Il transféra les coordonnées de la deuxième planète dans le système de navigation et poursuivit sa route en vitesse subluminique.

Un quart d'heure plus tard, la flèche étincelante du Mosquito traversait les hautes couches de l'atmosphère. Le ciel était dégagé, si bien qu'ils purent découvrir le paysage de très haut. Ils survolaient une chaîne d'îles paradisiaques, étirées sur une centaine de kilomètres le long des côtes. Le continent, couvert de savanes et de forêts, ne montrait aucune trace de civilisation développée.

— Si je le pouvais, je m'installerais définitivement ici, soupira Capenski. La Terre a dû ressembler à ça, avant que l'homme ne s'y répande…

Le sergent ne partageait pas l'enthousiasme de son chef. Plus âgé que lui, il se méfiait des tentations trop fortes.

Jossi l'ignorait, mais il avait raison.

Le piège qui les attendait était déjà prêt à se refermer.

*
**

La station était camouflée sous une colline qui dominait la plage. Seuls les objectifs et les antennes qui lui permettaient d'épier l'espace étaient en surface. Mais, même en regardant bien, personne n'aurait pu deviner autre chose que quelques arbres.

L'équipe de la station ne se composait que de trois hommes, un officier et deux sous-officiers. Les enregistrements de tous les postes d'observation de la planète convergeaient vers le pupitre que Ma-Lok était en train d'observer.

— La construction correspond aux données que nous avons, dit l'adjudant Drebar. La seule question, c'est de savoir s'il est seul.

Ma-Lok ne répondit pas tout de suite. Il suivait la trajectoire du petit navire. Pour lui, il était évident qu'il était en relation avec le vaisseau géant qui donnait tant de fil à retordre à la flotte de Kahalo. Il devait s'agir d'un éclaireur ou d'une capsule de sauvetage. Il aurait été absurde de le détruire sur-le-champ.

— Nous finirons bien par le savoir, dit l'officier. Kontar, ajouta-t-il en se tournant vers l'autre sergent. Laissez les commandes des batteries tranquilles. Je vous préviendrai s'il y a du nouveau.

Le petit navire donnait l'impression d'hésiter, comme s'il cherchait un endroit propice pour atterrir. Après

tout, il pouvait très bien s'agir de rescapés qui cherchaient un refuge.

— Nous allons les capturer vivants, décida Ma-Lok.

*
**

— S'il s'agissait seulement de notre sécurité, je
choisirais une île, dit Capenski. Mais deux jours, c'est
long quand on n'a rien à faire. Qu'est-ce que vous en
pensez, sergent ?

— C'est comme vous voulez, dit Jossi. Va pour le
continent.

— C'est parti ! dit Capenski, dont l'apparente bonne
humeur masquait un sentiment de culpabilité dont il
n'arrivait pas à se défaire.

Il se répétait que, même au XXVe siècle, les hommes
n'étaient pas des machines, et qu'il n'était pas plus
mal que l'émotion eusse encore droit de cité, même
dans l'astromarine. À d'autres moments, il se disait
qu'il avait mérité un bon savon, que Réginald Bull ne
se priverait pas de lui sonner les cloches et qu'il l'avait
bien mérité.

— Que dites-vous de cette plage ? demanda-t-il en
faisant virer le chasseur sur l'aile.

— Tout à fait comme dans les prospectus de Vacances Galactiques. Dire que nous sommes dans la
Nébuleuse d'Andromède et en pleine guerre ! C'est à
peine croyable. Moi qui n'ai jamais réussi à partir en
vacances !

Capenski se réjouit de voir que Jossi était moins
crispé. Il n'aurait pas à se justifier devant lui.

Capenski posa le Mosquito sur la plage, à

équidistance de l'eau et de la lisière de la jungle.

Les deux hommes descendirent et ouvrirent leur casque. L'air était doux. Une petite brise leur apportait l'air vivifiant du large. Derrière la forêt, vers l'est, des sommets bleutés pointaient à l'horizon.

— Alors, qu'en dites-vous ? demanda le capitaine.

— Pas mal, admit Jossi.

— C'est tout ? s'étonna Capenski.

— C'est déjà pas mal, grommela le sergent, qui préférait garder son inquiétude pour lui.

Un quart d'heure plus tard, Capenski déplaça le chasseur dans une cuvette bien abritée, située en bordure de la forêt.

— On peut nous voir depuis le ciel, fit remarquer Jossi.

— Ce n'est pas grave, répondit Capenski. Si quelqu'un avait les moyens de nous repérer en altitude, nous aurions déjà été détectés.

— Vous ne trouvez pas bizarre qu'une planète aussi paradisiaque soit inhabitée ? demanda soudain le sergent.

— Il doit y avoir des milliards de planètes aussi hospitalières dans la Nébuleuse et qui n'ont pourtant jamais été colonisées.

L'après-midi était déjà bien avancée. Le soleil commençait déjà à descendre sur la mer. À l'est, les sommets des montagnes commençaient à rougeoyer.

L'adversaire, lui, n'était qu'à cinquante kilomètres au nord.

— Vous avez envie de prendre un bain ? demanda soudain Capenski.

— Dans la mer ? s'esclaffa Jossi. Mais pour quoi faire ? Et puis, on ne sait pas quelles bestioles il peut y avoir dans l'eau…

— En arrivant, j'ai vu une petite crique totalement séparée de la mer par une baie de corail. Il fera nuit dans deux heures. Allons au moins y jeter un coup d'œil.

— D'accord, comme vous voudrez, accepta Jossi en attrapant son radiant.

Ils longèrent la plage vers le nord. Le sable était si fin qu'il s'enfonçait à peine sous leurs pieds. Les vagues retombaient doucement avec un bruit à peine audible. Il n'y avait aucun signe de marée, mais cela n'avait rien d'étonnant, puisque la planète n'avait pas de satellite.

Ils avaient à peine parcouru une centaine de mètres que le capitaine s'arrêta et se retourna.

— On ne voit déjà plus le chasseur, dit-il.

Jossi jeta un coup d'œil ennuyé derrière lui.

La crique dont avait parlé Capenski n'était qu'à cinq cents mètres. L'eau était si limpide qu'ils distinguaient parfaitement les petites bandes de poissons colorés qui passaient devant eux.

— Ça vous tente toujours ? lança Jossi.

Le capitaine était déjà en train de retirer son spatiandre. Il déposa tous ses vêtements sur une petite dune de sable blanc avec son radiant par-dessus et piqua aussitôt une tête dans la crique.

Inquiet, Jossi surveillait la surface de l'eau à la

recherche de quelque chose qui évoquerait une nageoire dorsale de requin. Mais tout était calme. Il n'y avait pas d'oiseaux, pas de crissements d'insectes, rien...

Soudain Jossi se figea, les yeux braqués sur la lisière de la forêt. Il avait cru voir quelque chose bouger. Le mouvement reprit. Finalement, il s'était trompé. Il y avait bien des oiseaux sur ce monde. Celui-ci était si bariolé qu'on aurait juré qu'il avait reçu une dizaine de pots de peinture !

Le sergent ne pouvait pas voir leur véritable ennemi. Pour le moment, celui-ci se résumait à un disque d'observation métallique d'une quinzaine de centimètres de diamètre, qui survolait la crique à plusieurs centaines de mètres d'altitude. Sa lentille braquée vers le bas enregistrait le moindre mouvement des deux Terriens, que Ma-Lok suivait en temps réel dans sa station.

Le capitaine sortit de l'eau et s'allongea pour se sécher aux derniers rayons du soleil.

— Que diriez-vous de dormir à la belle étoile, sergent ?

En revenant, ils longèrent la lisière de la forêt. Les fourrés n'étaient pas très épais, mais les troncs étaient si denses qu'ils auraient dû mal à se frayer un chemin entre eux.

Ils dormirent sur la plage, sans que rien ne vienne les déranger.

Pourtant, une surprise les attendait au lever du jour. Une boîte métallique hérissée d'antennes était posée sur le sable, à deux mètres d'eux.

— D'où ça sort, ça ! s'exclama Jossi, qui découvrit l'objet le premier.

— Cela ne fait pas partie de notre équipement, c'est sûr, dit Capenski.

Un craquement retentit dans la boîte et une voix en sortit :

— Ceci est un translateur qui fonctionne sur base télépathique. Il a été amené jusqu'à votre campement par un robot. Nous pouvons vous observer où que vous alliez. Qui êtes-vous ?

Le capitaine était devenu blanc comme un linge. Il se mit debout et vérifia que le Mosquito était toujours là. Le chasseur pouvait décoller en moins de deux minutes.

Comme si les étrangers avaient deviné ce que le Terrien pensait, la voix électronique reprit :

— Toute tentative de fuite se solderait par la destruction de votre appareil. À moins que vous ne vouliez passer le restant de vos jours sur cette planète, nous vous conseillons d'y renoncer dès maintenant. Laissez vos armes ici et dirigez-vous vers le nord le long de la plage. Nous nous rencontrerons là-bas.

Capenski hésitait. Il était certain que l'étranger ne bluffait pas. Il ne pouvait s'agir que d'un Téfrodien chargé d'un poste d'observation planétaire. Le Terrien savait que l'ensemble de la Zone interdite était placé sous surveillance étroite. Il aurait dû se douter que la planète était occupée avant même de s'y poser.

— Nous venons, décida-t-il. Mais avec nos armes.

— Si vous y tenez, fit la voix d'un ton ennuyé. Elles ne vous serviront à rien de toute façon.

— Vous ne voulez quand même pas y aller ? protesta Jossi.

— Nous n'avons pas le choix, sergent. Fermez l'écoutille du Mosquito.

Vêtus de leurs seuls uniformes, ils prirent quelques rations de nourriture d'avance et s'apprêtèrent à partir. Capenski avait du mal à résister à la tentation de sauter dans l'appareil pour tenter un décollage en catastrophe. La seule chose qui l'en empêcha, ce fut la pensée que les Téfrodiens, tout comme les Terriens, n'hésiteraient pas un instant à l'abattre. Ils l'avaient prévenu.

Abattus, les deux hommes revinrent vers le bord de l'eau et commencèrent à remonter la plage. Ils traversèrent la barrière de corail et continuèrent vers le nord.

— Ils nous observent par des sondes optiques, dit le sergent au bout d'un moment. Celle qui nous suit, là-haut, brille de temps à autre dans le soleil. Si nous nous enfonçons dans la forêt, ils ne pourront plus nous voir.

— À quoi bon ? fit Capenski en haussant les épaules. Pendant que nous jouerons les Robinson, ils détruiront le chasseur. Ensuite, il faudra nous débrouiller pour survivre ici, jusqu'à la fin de nos jours.

Le sergent convint qu'ils n'avaient vraiment pas le choix. Par-devers lui, il se dit que Capenski était vraiment un oiseau de malheur. Quand leur chance se présenterait, il faudrait qu'il agisse sans attendre l'avis de son chef.

Ils marchèrent pendant deux heures sans que le paysage change notablement. Soudain, un vrombissement les fit s'arrêter. Ils levèrent la tête et virent un glisseur oblong descendre vers eux. L'engin se posa dix mètres plus loin. À part deux sièges, il était vide.

— On monte ? grogna Jossi.

— Par cette chaleur, je n'ai pas envie de continuer à marcher. Et vous ?

Le glisseur repartit dès qu'ils furent installés.

— S'ils se figurent que nous allons leur raconter tout ce qu'ils veulent entendre, ils se mettent le doigt dans l'œil, dit le sergent.

— Ils ont sûrement les moyens de nous interroger, rappela Capenski. De notre côté, essayons d'en savoir un peu plus sur eux. Combien ils sont, par exemple. Une fois dans leur station, nous n'aurons pas grand mal à paralyser leurs installations…

— Hum, fit Jossi, sceptique.

Le vol dura moins de dix minutes. Le glisseur descendit vers la côte et se posa sur la plage. Une voix retentit :

— Descendez ! Nos armes sont dirigées vers vous, alors n'essayez pas de fuir ou de nous attaquer. Nous voulons vous parler, c'est tout. Le glisseur vous ramènera à votre appareil plus tard.

— Et ta sœur ! s'exclama le sergent.

Capenski ne dit rien. Personne n'était visible autour d'eux. La voix sortait d'un buisson planté sur une dune un peu plus haute que les autres.

— Déposez vos armes sur le sable. Vous pourrez les récupérer plus tard.

— Depuis quand êtes-vous aux petits soins pour nous ? cria le capitaine. À vous en croire, vous pourriez nous tuer sur-le-champ. Alors pourquoi ne le faites-vous pas ?

— Qu'est-ce que cela nous apporterait ?

La réponse était si évidente que Capenski ne sut quoi répondre.

La mort dans l'âme Jossi posa son radiant sur le sable chaud.

— Maintenant, faites dix pas vers la mer et ne bougez pas jusqu'à ce que nous venions vous chercher.

Les deux hommes obéirent.

— Vous pouvez vous retourner !

Cette fois la voix ne sortait plus d'un haut-parleur. C'était bien un Téfrodien. Il tenait une arme globulaire à canon court. Derrière lui, une ouverture circulaire se dessinait dans la dune.

— Après vous, je vous en prie.

Agacé par l'amabilité exagérée dont le Téfrodien faisait preuve, Jossi sentait un fourmillement lui chatouiller l'extrémité des doigts. Il bouillait d'envie de lui décocher un direct à la mâchoire.

Ils descendirent quelques marches et le volet extérieur se referma. Aussitôt, de la lumière jaillit des murs.

— Avancez, ordonna le Téfrodien.

La salle de garde était au bout du couloir. L'un des deux Téfrodiens qui s'y trouvaient les salua, l'autre, affairé sur son pupitre, ne se retourna même pas.

— Asseyez-vous, dit l'officier. Je suis le capitaine Ma-Lok, commandant de cette station. Les deux hommes que vous voyez sont les sergents Drebar et

Kontar. Comme vous pouvez le constater, nous avons pu suivre vos mouvements avant même que vous ne pénétriez dans l'atmosphère de la planète. Un seul faux mouvement de votre part et pff ! le sergent Kontar volatilise votre appareil. Mais ne vous inquiétez pas, vous pourrez repartir librement... Si vous respectez nos conditions, bien sûr.

— Vous voulez nous interroger ? demanda Capenski. Vous n'avez pas de chance. Nous ne savons rien.

La remarque du Terrien fit éclater de rire Ma-Lok.

— Vous savez au moins qui vous êtes, d'où vous venez et ce que vous cherchez ! Commençons par là.

— Nous nous sommes perdus et nous cherchons des indices pour retrouver notre route, affirma Capenski. Quant à l'endroit d'où nous venons, vous en savez sûrement autant que nous à ce sujet.

— D'après nos informations, d'un monde extragalactique, confirma Ma-Lok. Pourtant, nous aurions aimé en savoir un peu plus à son sujet. Ses coordonnées, par exemple... Ensuite, vous pourriez nous expliquer ce que vous faites ici. Que cherchez-vous dans la Zone interdite ?

— Alors là, vous m'en demandez trop. Il faudrait que vous posiez la question aux commandants de notre expédition. Nous nous contentons d'obéir aux ordres, c'est tout.

— Nous aussi, affirma le Téfrodien. Mes ordres sont d'obtenir de vous toutes les informations dont vous disposez. Nous avons évidemment les moyens de vous faire parler, mais j'éviterais bien volontiers d'y recourir pour peu que vous acceptiez de parler librement. Que cherchez-vous sur cette planète ?

— Au nom de quelle autorité m'interrogez-vous ? se rebella Capenski. Cette planète est inhabitée.

— Nous l'avons annexée, elle fait partie de notre empire.

— Elle vous appartient à vous, Téfrodiens, ou aux Maîtres Insulaires ?

La remarque du Terrien provoqua un changement d'attitude très net chez Ma-Lok.

— Où se trouve votre vaisseau ? reprit-il d'une voix cassante.

— Assez près pour détruire votre minuscule station si nous ne sommes pas à notre rendez-vous au moment convenu.

— Alors, il sera détruit aussi. Où se trouve-t-il ?

— Je ne vous dirai rien, décida Capenski, fatigué par le jeu du Téfrodien. Je veux bien discuter avec vous, mais je n'ai rien à dire sur nos secrets. Est-ce que je vous pose des questions au sujet des vôtres ? Non, vous voyez bien. Il est toujours dangereux d'être trop curieux au sujet des secrets des autres.

Ma-Lok comprit qu'il ne tirerait plus rien de ses prisonniers.

— Sergent, lança-t-il à Drebar, enfermez-les. Kontar, préparez le matériel pour l'interrogatoire. Vous avez une heure devant vous, pas plus, reprit-il en se tournant vers les Terriens. Réfléchissez bien. Si vous refusez de parler, vous serez définitivement incapables de *réfléchir*… après.

Le Téfrodien maniait la psychologie avec une redoutable dextérité. Après ses amabilités et ses pro-

136

messes du départ, la menace était directe.

Les deux hommes se laissèrent enfermer sans protester.

— Un fameux paradis ! grommela Jossi.

Capenski se rapprocha de lui et murmura à son oreille :

— Attention, ils ont sûrement installé des micros ! Ils ont sûrement des sérums de vérité, reprit-il à haute voix. Un véritable lavage de cerveau qui nous transformera en loques humaines…

— Ils ne sont que trois, chuchota à son tour le sergent. Nous devrions essayer de les désarmer.

— Nous verrons. Tenez-vous prêt à agir à mon signal, répondit Capenski sur le même ton.

Ils s'entretinrent de banalités puis se turent en attendant la fin de leur délai de grâce. Le sergent Kontar vint les chercher et les ramena dans le poste de contrôle de la station.

Ma-Lok les attendait.

— Alors, vous vous êtes décidés ?

— Notre flotte va nous retrouver et détruire cette planète, fut-elle défendue par des centaines de navires. Je n'ai rien à ajouter.

— Vous nous sous-estimez, repartit le Téfrodien avec un sourire. À nous trois, nous pouvons faire échec à une escadre entière. La planète est mieux défendue que vous ne croyez.

— Comment ? s'étonna Capenski. Vous dites que vous n'êtes que trois sur toute la planète ?

Ma-Lok opina du chef.

Capenski lança un rapide regard à Jossi. Les mains

dans le dos, le sergent devait se préparer à dégoupiller l'une de ses microgrenades. Les Téfrodiens étaient si sûrs d'eux qu'ils ne les avaient même pas fouillés.

— Je suis désolé, lança le Terrien au Téfrodien, surpris. J'aurais aimé vous parler, mais j'ai peur que cela soit impossible dans quelques secondes...

Il fit signe à Jossi d'y aller. Le sergent lança la grenade vers Drebar. Surpris, le sergent téfrodien ne réagit pas. Il ne restait que cinq secondes avant l'explosion.

Les deux Terriens se précipitèrent vers le couloir. Une décharge de radiant siffla au-dessus de la tête de Capenski. Ils coururent et se plaquèrent contre le mur à une dizaine de mètres de la porte en se bouchant les oreilles.

Capenski revint vers le poste de contrôle. La pièce était pleine d'une fumée âcre. Pendant qu'il toussait, Jossi constata froidement :

— Dire qu'ils pouvaient résister à une escadre terrienne et qu'il a suffi d'une petite grenade de rien du tout pour les mettre hors circuit ! Vraiment incroyable, l'effet qu'elles ont, ces petites bombes !

Les trois Téfrodiens étaient morts, leurs installations totalement hors d'usage.

— Ils devaient sûrement envoyer un ou plusieurs rapports quotidiens, dit Capenski. Je ne sais pas à quelle heure le prochain était prévu, mais nous risquons d'avoir de la visite.

— L'ennui, c'est que le chasseur se trouve à une cinquantaine de kilomètres de là et que, sans les spatiandres, nous sommes à pied, fit observer le

138

sergent.

— Nous trouverons peut-être un moyen de faire fonctionner le glisseur qui est dehors…

Ils fouillèrent la station mais ne trouvèrent rien qui vaille la peine d'être emporté. Pour faire bonne mesure, Capenski plaça une deuxième grenade à retardement sur le générateur de la station et ils remontèrent à la surface.

Malgré leurs efforts, ils ne réussirent pas à trouver de commandes manuelles sur le glisseur. Ils se mirent en route vers le sud.

La grenade explosa cinq minutes plus tard, déclenchant un véritable feu d'artifice.

— J'espère qu'un croiseur téfrodien n'est pas en train de passer à proximité…, commenta Jossi.

Le soir, ils avaient parcouru à peu près la moitié du chemin, se rafraîchissant dans l'eau quand la chaleur était trop forte. Ils s'endormirent comme une masse.

Ils se levèrent avant le soleil et réussirent à atteindre le chasseur au milieu de l'après-midi.

— Deux jours ! soupira Capenski. Le délai est déjà écoulé. Il va falloir nous dépêcher si nous voulons retrouver les ultracroiseurs. Je me demande comment le colonel Matenbac réagira quand je devrai lui expliquer ce que nous avons fait pendant tout ce temps.

— D'autant plus que vous avez déjà pris un coup de soleil, renchérit Jossi.

— Je lui dirai la vérité, décida le capitaine. Finalement, nous avons quand même réussi à éliminer l'une des stations de surveillance des Téfrodiens. Nous savons comment elles fonctionnent, maintenant.

Le sergent avait déjà passé son spatiandre et s'installait dans le fauteuil arrière du cockpit.

— Tout ce que je veux, moi, c'est prendre une bonne douche dans ma cabine.

Quelques minutes plus tard, la planète s'enfonçait derrière eux dans le noir de l'espace. Capenski voulait rejoindre Vario d'une seule traite.

CHAPITRE III

L'attaque soudaine des Téfrodiens avait obligé Réginald Bull à retirer le *Général Deringhouse* et le *Velta* de la zone des combats. Deux hommes étaient toujours portés manquants, mais Bull ne pouvait pas mettre en péril la vie de dix mille hommes et toute leur mission à cause d'eux. Il demanda au colonel Matenbac de leur laisser un message codé par une balise automatique à très courte portée.

Ils effectuèrent la première moitié du trajet en vol linéaire, d'une seule traite. Ensuite, les deux vaisseaux, en alerte permanente, enchaînèrent les périodes de vol subluminique et de brèves plongées linéaires. Toutes les trois ou quatre heures, les détecteurs signalaient des escadres importantes et des affrontements entre Maahks et Téfrodiens.

Les Méthaniens semblaient avoir déclenché une offensive majeure, ce qui confirmait le récit des jumeaux Woolver. Les Maîtres Insulaires avaient un besoin urgent de troupes fraîches.

Le deuxième jour, Réginald Bull revint au central après s'être reposé un moment. Le colonel Masser était aux commandes.

— Cela fait presque deux jours, commandant, et les Maahks ne se sont toujours pas manifestés, dit l'Epsalien. Vous pensez qu'ils se méfient ?

— Les Maahks ne laissent jamais rien au hasard. Ils ont dû analyser la situation et réunir les forces qu'ils jugeaient indispensables pour attaquer Vario. D'après les renseignements que nous leur avons fournis, la planète, d'une importance stratégique, est très bien défendue... À quelle distance en sommes-nous ?

Rondo Masser se pencha sur son pupitre.

— Deux mille trois cents années-lumière. Nous allons passer en vol linéaire dans deux minutes pour une nouvelle étape de mille années-lumière.

— J'ai étudié les cartes astronomiques dans ma cabine. Affichez le secteur de Vario. Là, à quatre mois-lumière, il y a un soleil vert qui conviendra parfaitement pour nous abriter. Si vous avez besoin de moi, je suis dans le hangar où nous avons installé la R-10. Il faut que je discute des derniers détails de la mission avec les trois mutants et Lémy Danger.

La corvette était prête à appareiller. Rakar et Tronar Woolver l'avaient inspectée complètement et vérifié tous les conducteurs. Tako Kakuta était chargé de préparer les injections destinées à absorber le choc de la transition.

En voyant Réginald Bull arriver, le petit général siganien, prudent, grimpa sur une caisse.

— Nous sommes prêts ! cria-t-il aussi fort que sa

voix de lilliputien le lui permettait.

Bull s'arrêta devant la caisse.

— Bonjour, général. Où sont les autres ?

— Ils vérifient l'équipement. Nous approchons de Vario ?

— Nous aurons atteint notre position d'attente dans deux heures. Vous entrerez en action dès que l'attaque maahk commencera. Quand vous verrez Perry, saluez-le chaleureusement de ma part et dites-lui que tout va bien ici. À part le fait que les Maîtres Insulaires sont des humains, nous n'en savons pas plus sur eux.

Les trois mutants, qui avaient reconnu la voix de Bull, sortirent de la *R-10*.

— À partir de maintenant, messieurs, vous allez devoir prendre vos quartiers dans la corvette. Nous arrivons en position. Vous allez rester en contact permanent avec le central, qui vous donnera l'ordre de partir. Pour le reste, vous en serez remis à vous-mêmes. Des questions ?

Il n'y en avait pas.

— Alors, il ne me reste plus qu'à vous souhaiter bonne chance. Retrouvez Rhodan et dites-lui que nous l'attendons. S'il en a besoin, donnez-lui un coup de main pour revenir. Ah, j'allais oublier ! Saluez aussi de ma part le mange-carottes. Dites-lui qu'il commence à me manquer !

Trois heures plus tard, le *Général Deringhouse* et le *Velta* étaient en position, à quatre mois-lumière de la géante bleue dont Vario était la seule planète. Les détecteurs des deux vaisseaux travaillaient à pleine puissance.

Une demi-heure plus tard, le *Velta* reçut un appel du capitaine Capenski, qui demandait l'autorisation de rejoindre le bord. En apprenant la nouvelle, Bull fut soulagé. Il considérait déjà l'officier de la Sécurité et le sergent qui l'accompagnait comme perdus. Peu après, il reçut un appel du colonel Matenbac, qui lui apprit la vérité au sujet de la « promenade » des deux hommes et lui demandait quelles sanctions il devait leur appliquer.

Bull réfléchit. Le sergent Jossi n'était pas responsable. Seul son supérieur était en cause. Il décida de le recevoir personnellement.

Capenski se présenta devant lui. Bull se demandait si le capitaine était hyperémotif ou si la rougeur de son teint était due à un coup de soleil. Il répondit à son salut et le mesura du regard en silence.

— Vous avez désobéi aux ordres, capitaine, attaqua Bull.

— Je suis prêt à en supporter les conséquences, commandant.

— Vous vous attendiez à être sanctionné ?

— Bien sûr, commandant. Si je puis me permettre une remarque, je tiens à souligner que le sergent Jossi n'a aucune responsabilité dans ce qui s'est passé.

— Vous avez détruit une station de surveillance téfrodienne, m'a appris le colonel Matenbac. Vous avez donc mérité une citation et des arrêts de rigueur. Malheureusement, nous n'avons pas de cellules disponibles. Que diriez-vous si je vous proposais, en ce

144

qui vous concerne, d'oublier tout ce qui s'est passé ?

— De quoi parlez-vous, commandant ? dit Capenski, toujours au garde-à-vous, d'une voix forte.

— Bien, je vois que nous nous sommes compris, capitaine. Pourtant, n'allez pas croire que je fermerai les yeux si vous vous amusez à recommencer une balade en Mosquito. Je peux vous faire confiance ?

— Oui, commandant.

— En ce qui concerne le sergent Jossi, il aura bien entendu droit à sa citation.

— Je le lui dirai. Merci, commandant.

— Rompez, capitaine.

Bull se demanda s'il avait pris la bonne décision. L'avenir montrerait si le capitaine Capenski était digne de la confiance qu'il venait de lui accorder.

Les Maahks attaquèrent si soudainement, avec trois mille croiseurs lourds, que même les Terriens, qui les attendaient, furent surpris.

Dans le hangar du *Général Deringhouse*, la *R-10* était informée en temps réel des événements. Tronar et Rakar Woolver étaient installés aux commandes. Le navire était totalement automatisé, mais la première phase de la mission allait être la plus critique. La main de l'homme était indispensable pour la mener à bien.

Les trois mutants et Lémy Danger avaient revêtu des spatiandres de combat de la toute dernière génération. Grâce à la technique siganienne, leur autonomie énergétique atteignait trois mois. Grâce à des régénérateurs d'un nouveau modèle, les réserves d'oxygène étaient pratiquement inépuisables. Les générateurs d'écran protecteur, le déflecteur, l'antigrav et les micropropulseurs avaient encore été allégés et miniaturisés.

Lémy Danger, lui, était aux commandes de son *Helltiger*, installé dans la soute de la corvette. Sur l'écran de Tako Kakuta, Rakar pouvait voir le visage de Réginald Bull, qui leur jetait de fréquents regards.

Le *Général Deringhouse* avait quitté son orbite de sécurité autour du soleil vert.

— Nous ne pouvons pas nous approcher davantage sans attirer l'attention, dit Bull. Vous êtes prêts ?

Les trois mutants hochèrent la tête.

— Alors, bonne chance ! Éjection !

La *R-10* glissa sans un bruit dans le hangar de l'ultracroiseur et jaillit de la coque de terkonite à la vitesse d'un boulet de canon. La géante bleue de Vario se trouvait droit devant elle.

Maahks et Téfrodiens se livraient une bataille acharnée. Rakar secoua la tête. Tronar et Tako étaient du même avis que lui. Tant d'énergie gaspillée pour détruire ! Elle aurait été mieux employée dans d'autres buts.

La vitesse de la *R-10*, ni trop rapide, ni trop lente, avait été calculée de manière à ce qu'elle passe inaperçue. Jusqu'à présent, aucun des belligérants ne s'était montré curieux à son sujet.

Les Téfrodiens attaquaient avec une hargne qui, même chez eux, était inhabituelle. Sans se soucier de leurs pertes, ils lançaient leurs escadres en coin pour

146

enfoncer les lignes maahks, qui se dégarnissaient rapidement. Des boules de feu atomique explosaient sans cesse.

— Si nous continuons à rester ici à cette vitesse-là, nous n'atteindrons jamais le transmetteur temporel, dit Tronar.

— Nous n'avons pas le choix, rappela Rakar. Si nous nous dirigeons seuls vers Vario, ils nous détruiront. Il faut absolument profiter de la couverture d'un autre navire.

Malgré l'importance de leurs forces, les Maahks n'arrivaient pas à percer vers Vario. Rakar se demandait s'ils y arriveraient quand sept croiseurs réussirent à profiter d'une brèche pour foncer vers la planète. Le Coureur d'ondes réagit instantanément. Cette chance n'allait pas se représenter. Il engagea la *R-10* dans le sillage des Maahks, à distance suffisante pour éviter le contact.

Avant que les navires noirs aient pu atteindre la surface de Vario, le piège temporel entra en action.

Les forêts et les mers de la planète disparurent soudain pour laisser place au désert. Sur la surface diurne, deux énormes colonnes d'énergie bleue s'élevèrent si vite vers le ciel, vers le soleil, que l'œil ne pouvait les suivre. Chacune mesurait cinq cents kilomètres d'épaisseur. L'énergie pompée dans la géante bleue s'engouffra dans les générateurs dissimulés sous la surface. Un colossal rideau d'énergie naquit tout autour de la planète, juste devant les sept navires maahks. Ils hésitèrent à larguer leurs bombes. L'écran était trop près.

— Attention ! lança Rakar. Tako, les injections ! Lémy ?

— Oui ?

— Votre injection est prête ?

— J'ai la seringue hypodermique dans la main.

— Très bien. Attendez mon signal.

Le soleil parut s'enflammer. Le rideau d'énergie s'enfla et avala les huit navires. Dans la corvette, la lumière disparut.

La chute dans le passé avait commencé.

CHAPITRE IV

Le *Krest III*, toujours en position près de l'étoile Redpoint, attendait des nouvelles des jumeaux depuis huit jours déjà.

— C'est la raison pour laquelle j'interviens le moins possible dans cette époque, dit Rhodan à Icho Tolot. Cette période est très importante pour l'histoire de la Terre et de la Galaxie. La fin de l'empire de Lémur, le départ des Lémuriens vers la Nébuleuse d'Andromède, le rôle des agents temporels, les Maîtres Insulaires eux-mêmes, tout cela est lié à ce qui se passe en ce moment. Changer un événement en apparence mineur ici, c'est peut-être provoquer un bouleversement dans notre avenir.

— Peut-être, mais je commence à trouver le temps long, se plaignit L'Émir.

— Le délai que nous avions fixé aux Woolver n'est pas encore écoulé, rappela le Stellarque. Peut-être ont-ils réussi à rejoindre le futur et à prévenir Bully, qui sait ?

149

— Tu pourrais me donner un Mosquito, proposa le mulot. J'irais jeter un coup d'œil sur Kahalo et je finirais bien par trouver trace du passage de Rakar et de Tronar.

Le mutant avait lancé sa proposition au hasard, pour dire quelque chose. Il tomba des nues quand Rhodan lui répondit :

— Que dirais-tu de partir avec le major Anderson, Petit ?

Le transmetteur temporel était bien plus efficace que n'importe quel système d'armement pour protéger Vario. Les Téfrodiens, chargés de sa maintenance, veillaient à ce que le champ temporel reste en phase avec le passé. Celui qui traversait le transmetteur pour effectuer un séjour de dix jours dans le passé ressortait du champ temporel dix jours plus tard dans le futur.

Contrairement aux sept navires maahks, la *R-10* ne chercha pas à éviter le champ qui l'avait englobée. Après la grisaille initiale, les écrans d'observation de la corvette avaient retrouvé des couleurs. Comme dans un film accéléré, la surface de Vario retrouva un paysage naturel et de la végétation. Les contours des océans et des continents ondulaient. Pendant ce temps, les constellations se décalaient insensiblement.

— La transition aura lieu dès que le champ d'annulation nous aura ramenés au niveau - 50 000 ans, prévint Rakar en enclenchant le pilote automatique. Au point d'émergence, Vario nous enverra automatiquement dans le transmetteur galactique géant d'An-

150

dromède, si bien que le voyage se terminera au-dessus de Kahalo, dans la Voie lactée. Préparez-vous.

Il fit basculer son fauteuil en position horizontale.

Les trois mutants et Lémy Danger se firent, sur le cou, l'injection qui devait protéger leur organisme.

Les huit navires furent éjectés dans le passé. Une première transition les amena dix-huit années-lumière plus loin, jusqu'au transmetteur intergalactique d'Andromède. De là, l'énergie des six étoiles de la porte spatiale les propulsa d'un million et demi d'années-lumière vers la Galaxie. Un bond colossal.

Rakar revint à lui quelques secondes après la rematérialisation. D'un coup sec, il remit son fauteuil en position de travail et se concentra sur l'écran de détection.

L'écran vert à surcharge de haute énergie du petit navire le protégea de la première salve des croiseurs lémuriens. Il riposta aussitôt.

Près de la corvette, les systèmes automatiques des sept navires maahks livraient leur dernier combat.

Nils Anderson mesurait presque un mètre quatre-vingt-dix. Il était blond et rappelait par sa stature les Vikings qui posèrent les premiers le pied sur le continent américain. Il n'avait pas la réputation d'être un aventurier. Aussi, quand il apprit de quelle mission le Stellarque venait de le charger, il pesta contre L'Émir.

Le mulot, télépathe, avait lu ses pensées. Il recula prudemment d'un pas.

— Modérez votre enthousiasme, major ! Allez, souriez, nous allons faire une simple promenade, c'est tout !

Anderson rit de bon cœur et s'installa dans le cockpit du Mosquito. L'Émir se téléporta sur le siège arrière et commença les vérifications d'usage.

Sur son écran, il ne vit aucune trace de MA-Génial, l'île spatiale des Ingénieurs intergalactiques qu'ils avaient réussi à sauver. L'immense plate-forme devait se trouver de l'autre côté de Redpoint.

Après un dernier point avec le central du *Krest III*, Anderson déclencha l'éjection. Le chasseur s'éloigna rapidement du géant de l'espace. Malgré ses deux kilomètres et demi de diamètre, la sphère de terkonite disparut rapidement derrière eux, petit point noir noyé dans la masse du soleil rouge.

— C'est bizarre, dit le major quand le pilote automatique eut pris le relais, nous nous trouvons à une époque où les historiens affirment qu'il n'y avait pas encore de civilisation évoluée à la surface de la Terre. Et là, nous découvrons un empire qui rivalise avec l'Empire solaire ! Incroyable, non ? Il va falloir réécrire tous nos livres sur le passé de l'espèce humaine !

— C'est bien joli, tout ça, dit le mulot, mais j'avoue qu'il n'y a qu'une seule chose qui me préoccupe : rejoindre notre époque. Que l'homme des cavernes ait été un génie méconnu, je m'en moque ! Tout ce que j'espère, c'est que cette histoire de transition temporelle nous aidera à résoudre le mystère des Maîtres Insulaires.

— J'ai entendu dire que Rhodan est aussi d'avis que

152

l'origine des Andromédans est liée au temps…

— Les rumeurs vont bon train, à bord, se contenta de répondre L'Émir.

— Il paraît que l'agent temporel, ce Frasbur, a ameuté toute la flotte lémurienne pour nous retrouver, reprit Anderson.

— Nous le retrouverons tôt ou tard, promit le mulot. En attendant, il va falloir faire très attention. Les escadres de l'amiral Hakhat veillent sur la planète des pyramides comme à la prunelle de leurs yeux.

Kahalo se trouvait à deux mille six cents années-lumière d'eux. Le major fit plonger le chasseur pour un vol assez court dans l'espace linéaire. Ils en ressortirent mille cinq cents années-lumière plus loin. Même à cette distance des Sextuplées, le trafic spatial était déjà important. Leurs détecteurs localisèrent quatre convois en route pour Kahalo.

À l'issue de leur deuxième plongée, ils émergèrent au milieu d'au moins deux cents croiseurs lémuriens. Sans perdre son calme, Anderson riposta aussitôt. Le meilleur atout du chasseur était sa maniabilité. L'écran vert soutint le choc de la première salve sans broncher. Le major déclencha deux fois son canon transformateur avant de replonger dans l'entrespace. Deux croiseurs sphériques explosèrent.

— C'était juste ! siffla L'Émir.

— Rien de spécial, dit Anderson. Nous avons une heure de calme devant nous. La prochaine fois, nous émergerons à cinquante années-lumière de Kahalo. J'espère que cela suffira. C'est de la folie, dans le coin !

Le major s'enfonça dans un mutisme obstiné. Comme chacun à bord du *Krest III*, il savait que les Lémuriens, les ancêtres des Terriens, auraient dû être leurs alliés. Il ne venait d'anéantir deux de leurs croiseurs qu'à contrecœur. Tout était la faute des Maîtres Insulaires...

La majeure partie de la flotte de l'amiral Hakhat se composait de croiseurs sphériques d'un diamètre maximal de dix-huit cents mètres, c'est-à-dire la taille des croiseurs de bataille du futur Grand Empire arkonide. Frasbur lui avait affirmé que des navires appartenant à un peuple qui voulait empêcher les Lémuriens de s'installer dans la Nébuleuse risquaient d'apparaître dans le transmetteur géant.

La mission de l'amiral était de les détruire.

Il avait donc établi un dispositif d'accueil inébranlable, étagé sur dix années-lumière de profondeur tout autour du point d'émergence du transmetteur.

Frasbur n'avait mentionné aucun chiffre. Il pouvait y avoir cinq navires, cinquante ou cinq cents.

En fait, ils ne furent que huit à se rematérialiser au-dessus des pyramides. Les croiseurs téfrodiens ouvrirent le feu sans sommation. Les sept navires cylindriques noirs ne résistèrent pas plus d'une minute. Le huitième, par contre, une minuscule unité de soixante mètres, leur échappa dans un premier temps.

Rakar s'était attendu à un comité d'accueil aussi musclé. Il poussa l'accélération de la corvette à la limite de ses possibilités et parvint à traverser les lignes téfrodiennes sans encaisser de tir direct. Les batteries de la *R-10* étaient entièrement sous contrôle du cerveau P. Elles faisaient feu sans interruption sur toutes les cibles qui se trouvaient à portée de tir.

Rakar était tendu. Il allait devoir déconnecter les batteries pour permettre au *Helltiger* de Lémy Danger de sortir, mais il était encore trop tôt. La voie vers Kahalo n'était pas encore libre.

— Pourquoi attends-tu si longtemps ? protesta son frère. Envoie le faisceau hypercom pour que nous puissions rejoindre la surface. Tako n'aura aucun mal à nous suivre en se téléportant. Lémy saura bien se débrouiller.

— C'est bien ce que nous avions prévu, dit Rakar entre ses dents. Je ne veux pas que Lémy ait une chance sur deux d'y rester, c'est tout.

Il fit de nouveau virer la corvette vers la planète. D'un coup d'œil, il vit que l'écran SH était à la limite de la surcharge. Il n'allait plus tenir longtemps.

Rakar se décida. Il fit plonger la corvette vers la surface. Il allait prévenir Lémy Danger quand un coup de boutoir phénoménal s'abattit sur la *R-10*. Le petit navire était encerclé par dix croiseurs. L'écran vert s'effondra. Sous leurs pieds, une explosion secoua la salle des machines.

— Vite, le faisceau ! hurla Tronar.

Tako Kakuta se dématérialisa juste avant l'explosion de la *R-10*.

Le *Helltiger* fut projeté dans l'espace au milieu des débris du petit navire.

Quand Lémy Danger revint à lui, il s'aperçut que

son « croiseur » n'avait pas souffert. Il dérivait dans l'espace au milieu des croiseurs téfrodiens.

C'était une chance que la Sécurité solaire ait pensé à maquiller son *Helltiger* en morceau d'épave…

CHAPITRE V

Après deux nouvelles plongées, le Mosquito d'Anderson retrouva le continuum à dix années-lumière de Kahalo. Son hypercom était branché sur la fréquence de la flotte téfrodienne. Dans ce secteur galactique, les Téfrodiens se sentaient relativement en sécurité et la plupart des communications étaient en clair.

— On dirait qu'ils sont en train de rapatrier toutes les escadres vers le transmetteur, dit Anderson au bout d'un moment, après avoir étudié ses détecteurs. Nous passons au large d'un système à quatre planètes. Vous voulez faire un détour, lieutenant ?

— Pff ! s'exclama L'Émir. Pas question, nous n'avons pas de temps à perdre.

D'après les données, la quatrième planète était colonisée. D'énormes villes s'étendaient sur les continents, mais il ne semblait y avoir aucun trafic aérien ou terrestre.

— Bizarre, dit le major.

— Ils ont sûrement mis les bouts.

—Comment ça ? Quels bouts ? s'étonna Anderson.

— C'est une expression de Bully, expliqua L'Émir. Cela veut dire qu'ils sont partis.

— Et c'est le maréchal qui vous apprend une salade pareille ! s'exclama le Terrien.

— Oui, c'est un ami, repartit le mulot. Si vous y tenez, nous pouvons faire un survol rapide de la planète.

—Cela fait partie de notre travail d'éclaireurs, après tout, dit Anderson. Nous serons bien forcés de passer par Kahalo pour rejoindre notre époque.

— Perry m'a demandé de jeter un coup d'œil sur ce qui pourrait nous paraître suspect, ajouta le mulot. Après tout, l'évacuation de cette planète, si près de Kahalo, *est* suspecte. Allons-y.

Le major, rendu confiant par l'absence totale de trafic radio, se mit d'accord avec L'Émir pour poser le chasseur sur l'un des astroports désertés, près d'un immense complexe urbain.

Anderson s'apprêtait à sortir de l'appareil quand l'air se mit soudain à briller autour d'eux. Une coupole énergétique se forma autour du chasseur, le coupa du reste du monde. Le Terrien réagit rapidement et voulut redécoller, mais il était trop tard. Le chasseur resta obstinément collé sur le sol, retenu par une force invincible.

— Nous sommes tombés dans le piège le plus idiot qu'on puisse imaginer, dit L'Émir. Ce n'est pas parce que la planète est déserte qu'ils n'ont pas laissé un système de sécurité en place.

Anderson préféra s'abstenir de répondre.

— Si le champ d'énergie est comme celui des Téfrodiens, reprit le mutant, je ne serai pas capable de le traverser par téléportation. Vous avez une proposition à faire, major ?

— Si le champ ne forme pas une sphère parfaite, vous pouvez peut-être vous téléporter sous la surface, dit Anderson après avoir réfléchi un moment. Il y a sûrement un complexe souterrain sous l'astroport…

— Hum, fit L'Émir. C'est une possibilité. S'il n'y a rien, je vais encore ramasser quelques bosses.

— Que se passera-t-il, s'il n'y a pas d'excavation ? Vous ne pouvez pas vous rematérialiser dans de la matière solide…

— Dans ce cas, je suis automatiquement renvoyé à mon point de départ. Nous n'avons pas le choix, il faut que j'essaie. Sinon, nous y serons encore demain.

— Dans dix ans, oui, surenchérit le major.

— Justement. Et comme je n'ai pris qu'une douzaine de carottes d'avance, je suis obligé d'y aller.

Anderson entendit le petit « plop » caractéristique de l'air qui comblait le vide laissé par la disparition du mulot. Il n'eut pas le temps de s'ennuyer. L'Émir revint aussitôt, le visage contracté par la douleur.

— Pas de chance, souffla-t-il. J'aurai peut-être plus de chance dix mètres plus bas. En tout cas, il n'y a pas d'écran vers le bas.

Il prit sa respiration et se téléporta de nouveau.

Cette nouvelle tentative et la suivante se soldèrent également par un échec.

La troisième fois, son fauteuil resta vide.

Lémy Danger se posait beaucoup de questions. Il ne savait pas si les mutants avaient eu le temps de rejoindre la surface de Kahalo.

Pour en avoir le cœur net, il décida de passer par la planète avant de rejoindre Redpoint et le *Krest III*.

Le *Helltiger* avait conservé une accélération résiduelle de vingt mille kilomètres par seconde. Son propulseur toujours éteint, il ne pouvait pas être détecté. Parfaitement camouflé, le navire de trois mètres de long ressemblait à s'y méprendre à un débris.

Lémy analysa les données de vol. Kahalo était tout près, mais sa trajectoire actuelle le ferait passer à trois millions de kilomètres au large de la planète. Un croiseur téfrodien s'approchait de lui à toute allure. Le Sigan calcula rapidement son cap. S'il continuait ainsi, il allait le raser à moins d'un kilomètre.

Lémy n'osait pas remettre le *Helltiger* en mouvement. Si les Téfrodiens s'en apercevaient, il pouvait faire ses prières.

Le commandant téfrodien n'aurait sûrement pas agi ainsi s'il avait su la vérité au sujet du débris qui dérivait près de son croiseur, mais il prit une décision que Lémy lui-même n'aurait même pas espérée.

Le croiseur se trouvait à quelques centaines de mètres seulement du *Helltiger* quand son écran protecteur se leva !

Lémy, qui n'en croyait pas ses yeux, se cramponna à son fauteuil. La bulle de l'écran allait le transporter

avec le croiseur ! Il aurait pu percer l'écran de l'intérieur, mais il décida d'attendre. Cet incroyable hasard
allait peut-être se révéler utile.

Tel un poisson-pilote, le petit navire suivait le
croiseur, qui accéléra pour s'éloigner de Kahalo.
Lémy s'aperçut que son « requin » n'était pas seul.
Onze autres croiseurs faisaient partie de la même
formation. Le Sigan commençait à se reprocher de ne
pas s'être mis à l'abri plus tôt.

Ce qu'il ne pouvait pas savoir, c'est que l'alarme
venait d'être déclenchée sur une planète évacuée et
que l'amiral Hakhat avait décidé d'envoyer un groupe
de croiseurs sur place pour voir de quoi il retournait.

L'Émir n'y voyait goutte. Il patienta pour laisser à
ses yeux le temps de s'accoutumer à la pénombre.

Anderson avait vu juste. Il se trouvait dans une
immense halle souterraine remplie de générateurs.
L'un deux alimentait sûrement le champ de force qui
retenait le Mosquito, mais lequel ? Il appuya sur la
touche d'appel de son minicom.

— Nils, vous m'entendez ?

Anderson répondit aussitôt.

— Bravo ! Où êtes-vous ?

— Cinquante mètres sous vos pieds, à peu près, au
milieu d'une série de générateurs. Je vais avoir du mal
à trouver celui qui maintient le champ de force.

— Amenez-moi en bas. Déjà, à l'Académie, j'étais
un vrai génie de la technique !

— Sans blague ! ironisa le mulot. Enfin, vous

pouvez toujours jeter un coup d'œil. J'arrive.

L'aller-retour ne dura que quelques secondes.

— Vraiment impressionnant, dit le major en découvrant la salle. Il va falloir procéder méthodiquement.

— Je vous en prie, « méthodisez » à votre guise, repartit le mulot.

Il laissa cinq minutes au Terrien, qui cherchait à s'orienter et prenait des notes. Lassé, le mulot le rejoignit au bout de ce délai.

— Cela ne sert à rien, dit-il. Il y a des dizaines de circuits, ici. Éclairage, rayons tracteurs, alimentation des bâtiments, station hypercom, systèmes d'alarme...

Il s'interrompit brusquement.

— Au fait, reprit-il, vous pensez qu'ils ont un système d'alarme à distance ?

— Ce n'est pas impossible, admit Anderson. D'un autre côté, ils ont évacué la planète, alors qu'est-ce que cela peut faire que quelqu'un débarque ?

— Pourquoi le champ de force s'est-il activé, s'ils s'en moquent ? objecta le mulot.

L'argument avait touché juste.

— Donc, nous pourrions avoir de la visite d'ici peu, conclut le major en faisant grise mine. En tout cas, je renonce à trouver quoi que ce soit dans ce fouillis. Il faudrait tout stopper.

— Allons voir à la surface, proposa L'Émir. Il y a sans doute un poste de contrôle sur l'astroport. Le champ est le même que celui que j'ai vu sur Téfrod dans cinquante mille ans, alors nous avons une chance que les installations soient également semblables.

L'Émir attrapa la main d'Anderson.

Ils se rematérialisèrent sur l'astroport, à cinq cents mètres du chasseur. Dans le premier bâtiment, ils ne trouvèrent que des bureaux déserts. Ils étaient soigneusement rangés, comme si leurs occupants devaient revenir d'un moment à l'autre.

Le mulot les téléporta ensuite dans la tour de contrôle, mais là non plus, ils ne trouvèrent aucune machine activée. Finalement, Anderson montra au mutant un bâtiment plat, situé un peu à l'écart.

— Essayons celui-là, proposa-t-il.

— D'accord.

L'Émir avait calculé son saut pour arriver au centre du bâtiment. Ils se rematérialisèrent juste dans la salle de contrôle. Les murs étaient couverts de panneaux de commande et de rangées d'écrans éteints.

En observant le pupitre central, Anderson identifia ce qu'il pensa être le contact général de la salle. Il se dit qu'il ne risquait pas grand-chose et le pressa. Les écrans s'allumèrent les uns après les autres.

— Hé, là ! cria L'Émir en sursautant.

La ville était totalement déserte. Les dizaines d'écrans montraient des halls vides, des rues sans glisseurs. Les vitrines des grands magasins aux portes closes montraient encore tout un assortiment de marchandises.

— Nous ne mourrons pas de faim, en tout cas, dit le mulot.

Les caméras de l'une des rangées d'écran devaient être situées dans l'espace. Elles montraient la surface de la planète sous plusieurs angles, de même que des secteurs de l'espace probablement situés à plusieurs années-lumière.

— C'est étonnant, dit Anderson. Ils devaient pouvoir contrôler plusieurs planètes depuis cette station. Je me demande pourquoi ils l'ont abandonnée.

— Ils ne voulaient sans doute pas attirer l'attention des Halutiens sur le secteur de Kahalo, supposa le mulot. Les ancêtres de Tolot étaient vraiment terrifiants. Je garde un mauvais souvenir de nos combats de la semaine passée sur MA-Génial. Cette peur des Halutiens s'est sans doute transmise à leurs descendants téfrodiens. Cela expliquerait pourquoi les Téfrodiens ont si peur de Tolot. Peut-être que le conditionnement des doublons est ébranlé lorsqu'ils voient une image issue de leur passé galactique.

— En attendant, cela ne nous aide pas à libérer le Mosquito, fit Anderson.

— Il y a des milliers de contacts, dit L'Émir en haussant les épaules.

La salle bourdonnait légèrement. Soudain, le mutant crut entendre un ronronnement qui le couvrait progressivement.

— Écoutez !

Le ronronnement devenait un grondement assourdissant.

— Des navires ! s'exclama le major. Ils sont en train d'atterrir !

Sans perdre de temps, le mulot lui attrapa le bras et se téléporta au milieu des bâtiments de l'astroport.

Douze sphères colossales d'au moins huit cents mètres de diamètre pour les plus petites occultaient le ciel.

— Vous aviez raison, dit Anderson d'une voix sourde. Il y avait bien une alarme couplée au champ de force.

— Ne soyez pas pessimiste ! Ils vont vouloir examiner le chasseur. Pour cela, ils seront bien obligés de déconnecter le champ de force. C'est notre chance.

— Nous deux contre douze croiseurs ? fit Anderson, sceptique.

— Il faut mettre toutes les chances de notre côté, poursuivit L'Émir, imperturbable. L'effet de surprise jouera pour nous. Il faut que nous nous assurions d'une certaine avance sur eux. Cela ne devrait pas poser de problèmes. Restons à couvert.

Le grondement des propulseurs s'estompa progressivement. Le mulot les emmena sur le toit du bâtiment plat qu'ils avaient exploré. De là, ils dominaient l'aire d'atterrissage. Pour l'instant, les croiseurs avaient gardé leur écran protecteur et aucun ne faisait mine de vouloir débarquer des troupes.

— Ils sont prudents, chuchota le major. Ils ont sûrement repéré le chasseur et ils savent qu'ils n'ont rien à craindre. Qu'est-ce qu'ils attendent ?

— S'ils croient que le Mosquito est un piège, ils vont le balayer d'une seule salve, glissa le mulot.

L'écran du croiseur qui était le plus proche du chasseur s'éteignit soudain. Au même moment, plusieurs écoutilles s'ouvrirent. Des Lémuriens lourdement armés en descendirent, portés par leur champ antigrav. Quelques blindés débarquèrent également par le sas de l'un des hangars. Il devait y avoir une cinquantaine de soldats. Ils se mirent en formation et se dirigèrent aussitôt vers le Mosquito.

— Qu'est-ce que… ? demanda Anderson.

— Attendez, l'interrompit le mutant en lui saisissant le bras. Il y a quelque chose de bizarre près du croiseur. Il faut que j'aille voir de plus près. Ce serait trop risqué de vous emmener. Pour plus de sûreté, je vais vous ramener dans la salle de contrôle, juste au-dessous de nous.

Sans attendre de réponse, L'Émir prit le major par le bras et se téléporta près du pupitre du poste central. Il se dématérialisa derechef en lançant :

— Je reviens tout de suite !

Dans son *Helltiger*, Lémy Danger suivait tous les mouvements du croiseur comme s'il se trouvait à l'intérieur. Sans doute à cause de la guerre, le commandant conservait son écran protecteur levé, y compris en vol linéaire. Cela faisait tout drôle au petit homme d'assister aux manœuvres en spectateur, sans intervenir du tout dans la navigation.

Les constellations se déplaçaient à une telle vitesse que le groupe de croiseurs devait être très pressé.

Lémy ne se sentait pas bien. Il n'avait rien à faire et se martelait la tête en se répétant qu'il aurait dû partir vers Redpoint sitôt arrivé, au lieu d'attendre. Si les mutants n'étaient pas morts, ils avaient peut-être besoin de son aide à l'heure qu'il était. Et lui était livré pieds et poings liés aux caprices d'un commandant téfrodien !

Après un vol linéaire de plusieurs heures, les douze

croiseurs réintégrèrent le continuum à proximité d'un système stellaire. Lémy se dit qu'ils étaient sûrement arrivés au bout de leur voyage.

Peu après s'être posé, le croiseur qu'il escortait abaissa son écran protecteur. Par précaution, le Sigan avait, dès le début de la traversée, fixé solidement le *Helltiger* à sa coque par un grappin magnétique. Sur l'immense sphère du croiseur, le petit navire était pratiquement invisible. Il aurait vraiment fallu y regarder de très près pour le détecter.

Dès que l'écran eut disparu, Lémy se demanda s'il ne devait pas tenter un départ en catastrophe pour prendre le large. Il se demandait pourtant ce que les Lémuriens cherchaient sur cette planète perdue.

Au dernier moment, la curiosité le retint de partir.

Il vit les blindés descendre du croiseur et se diriger vers les bâtiments de l'astroport. Les soldats, eux, se dirigeaient vers un point de l'aire d'atterrissage situé un peu à l'écart. Lémy regarda plus attentivement l'objet vers lequel ils se dirigeaient. De loin, on aurait dit...

Mais oui, c'était un chasseur Mosquito !

Le petit cœur du Sigan battit à se rompre. Dans cet univers, seul le *Krest III* disposait des appareils, les tout nouveaux modèles de chasse de l'Empire solaire. Lémy commença à ne plus regretter le hasard qui l'avait éloigné de Kahalo. La présence du chasseur indiquait que des Terriens se trouvaient sur la planète. Ils étaient sûrement en danger, et parmi eux se trouvait peut-être quelqu'un qu'il connaissait personnellement. Il décida de leur venir en aide, oubliant que lui-même était dans une situation précaire.

Les soldats avaient pris position autour du champ de force qui entourait le Mosquito. Une écoutille s'ouvrit sur le croiseur qu'il parasitait et un gros canon radiant s'abaisser pour prendre le chasseur en joue. *Sans doute pour empêcher l'appareil de décoller en cas de besoin,* se dit Lémy.

Il brancha son minicom et essaya de capter les conversations des Lémuriens. Il chercha pendant deux minutes, mais fut incapable de trouver la bonne fréquence. Il allait abandonner quand, par le plus grand des hasards, il passa sur la fréquence usuelle de l'astromarine solaire.

— Ah, enfin ! s'exclama une voix. Le grand Lémy Danger a fini de jouer avec son minicom et il daigne s'intéresser à ses amis !

Le Sigan, bouche bée, regarda son appareil. Il avait reconnu la voix pépiante de L'Émir.

— Mais… ? lança-t-il.

— Lève la tête, général, reprit le mulot. Mais avant, prépare-toi à un choc !

Lémy leva la tête. La face hilare du mulot occupait une bonne moitié de la verrière ! Installé à cheval sur le *Helltiger*, le mulot lui grimaça un sourire.

— Dommage que je n'aie pas apporté un appareil photo, Lémy ! Si tu te voyais ! Tu n'as pas peur de moi, quand même ?

Le Sigan, décontenancé, retrouva vite son sang-froid.

— C'est ton chasseur qui est là-bas ? Tu n'es pas tombé dans un piège, quand même ? persifla-t-il.

— Si tu crois que tu es mieux, dans ton cigare volant miniature ! rétorqua L'Émir.

Le visage du petit homme rougit violemment.

— Ne sous-estime pas mon *Helltiger*, lieutenant ! protesta-t-il. Il pourrait envoyer ton Mosquito *ad patres* rien qu'en soufflant dessus !

— Prétentieux ! De toute façon, ce n'est pas moi qui le pilotais. Je suis avec le major Anderson. Nous devions essayer de retrouver la trace des jumeaux. Apparemment, puisque tu es là, ils ont réussi.

— En effet. Bon, il va falloir que j'y aille, L'Émir, répondit Lémy, qui avait pris la mouche. Je vais prendre mon cigare volant miniature sous le bras et aller faire un tour.

— Hé, attends ! Tu ne vas quand même pas partir comme ça ! protesta le mutant. Nous avons besoin de toi, ici.

— Ah, enfin une parole honnête, nota Lémy. Je préfère ça. Le seul problème, c'est que je ne peux pas quitter mon *Helltiger*. Nous allons agir séparément.

— Entendu. Nous restons en contact radio, de toute façon. Je vais chercher Anderson et nous aviserons. En cas de problème, tu pourras rejoindre le *Krest III* tout seul pour ramener de l'aide.

— D'accord.

Le mulot se téléporta et se matérialisa d'abord, par prudence, sur le toit d'un bâtiment voisin de celui où il avait laissé le major.

Bien lui en prit, car il s'aperçut aussitôt que plusieurs blindés faisaient mouvement vers la station de contrôle. Les portes du bâtiment étaient grandes ouvertes. Suivi par une escouade de soldats, un blindé entrait déjà à l'intérieur.

Les premières explosions retentirent quelques secondes plus tard.

CHAPITRE VI

Nils Anderson s'était hissé avec bien du mal au sommet d'un générateur du haut duquel il pouvait observer l'astroport par une verrière. Sans L'Émir, il se sentait perdu. La salle de contrôle était un piège dont il ne pourrait se sortir sans son aide.

Par précaution, il sortit son radiant et vérifia la recharge d'énergie. Elle était neuve. En cas de problème, cela lui permettrait de tenir quelques minutes.

Il se demandait toujours ce que le mulot avait découvert et pourquoi il avait été si pressé de le quitter.

Le major se retourna en entendant un craquement. La porte de la salle de contrôle coulissa de côté. Le canon du premier blindé pivota dans sa direction et fit feu immédiatement. La partie supérieure du générateur sur lequel Anderson se trouvait explosa. Le Terrien ne dut la vie qu'à ses réflexes. En voyant le blindé, il s'était laissé glisser entre le générateur et le mur. Un saut d'une dizaine de mètres.

Il se récupéra en vitupérant et courut se mettre à l'abri plus loin. Juste à temps, car le générateur explosa complètement sous le deuxième tir.

Indifférents au matériel de la planète évacuée, les Lémuriens faisaient feu sans se préoccuper de quoi que ce soit. Deux autres blindés prirent position au centre de la salle. Les soldats commencèrent à fouiller la zone où ils avaient aperçu Anderson.

Abrité vingt mètres plus loin, le Terrien pensa enfin à se servir de son minicom.

— L'Émir ! appela-t-il.

— Enfin ! pesta le mulot. Où êtes-vous ?

— Toujours dans la salle de contrôle. La situation est brûlante. Ils me tirent dessus à coups de canon. Il faut venir me chercher.

— Où êtes-vous exactement ?

— Derrière un bloc-machine.

— Il me faut absolument des indications plus précises pour vous trouver. Je vais me matérialiser au hasard dans la salle. Vous n'aurez pas plus de trois ou quatre secondes pour me dire où vous êtes, d'accord ?

— Allez-y.

Les Lémuriens réussirent quand même à voir le mulot. Les soldats ouvrirent aussitôt le feu, mais leurs officiers attendirent trop longtemps avant de leur ordonner de fouiller la zone où ils l'avaient vu.

Évidemment, ils ne trouvèrent rien. Le mystérieux inconnu s'était volatilisé. Ce n'était pas tout. Le premier étranger qu'ils avaient traqué avait également disparu.

Comme si le sol les avait avalés…

D'une certaine manière, les Lémuriens n'avaient pas tort.

L'Émir s'était téléporté avec Anderson dans la halle des générateurs, sous l'astroport, puis dans la ville, au sommet d'une construction d'où ils embrassaient du regard la totalité de l'astroport.

Une fois qu'ils furent en sécurité, L'Émir raconta au major sa rencontre avec Lémy Danger.

—Les jumeaux Woolver ont donc réussi ! s'exclama Anderson. Nous pouvons rejoindre le *Krest III* !

—Oui, revenir au *Krest III*, répéta le mulot. Vous en avez de bien bonnes ! Le chasseur est là-bas, sous le feu de douze croiseurs et d'une meute de blindés.

— Le général Danger est venu à bord de quel type de navire ?

—Ce n'est pas la peine de parler de « navire » à son sujet, Nils. Son « truc » mesure trois mètres de long pour soixante-quinze centimètres de large. Je ne vois pas comment on pourrait nous caser tous les trois dedans.

— Est-ce qu'il peut venir ici ?

— Je vais lui poser la question…

Le Sigan répondit au bout du deuxième appel.

— Rien de changé en ce qui me concerne, leur apprit-il. Et vous, ça va ? Vous devez vous sentir comme quelqu'un qui revient à son parking et qui découvre qu'on lui a volé son glisseur, non ?

— Très drôle, Lémy ! répondit L'Émir. Il faut que nous trouvions les commandes du champ de force qui enferme le Mosquito. Dès qu'il sera libéré, nous nous téléporterons à bord et…

— Vous aurez douze croiseurs aux trousses ! l'interrompit le Sigan.

— Vous avez une meilleure proposition, général ? intervint Anderson.

— Vous pouvez oublier que je suis général durant les opérations. Appelez-moi Lémy. Et vous ?

— Nils, major Nils Anderson, gén…, Lémy !

— Vous savez que nous sommes de bons techniciens, nous autres Sigans, dit modestement Lémy. Je suis sûr que je pourrais trouver les commandes du champ si je pouvais quitter le *Helltiger*.

— Alors fais-le ! s'exclama L'Émir. Qu'est-ce que tu attends ? Ton *Helltiger* ressemble à un éclat de bombe. Personne n'ira gratter sa peinture si tu le laisses tout seul !

— Encore un mot et tu rentres sur le *Krest III* à pied ! l'avertit Lémy. Le *Helltiger* est le meilleur navire de son type qui soit jamais sorti de nos ateliers.

— Évidemment, dit le mulot à voix basse, ils n'ont pas dû sortir beaucoup de saucisses du même genre !

— Comment ? s'inquiéta Lémy en dressant l'oreille.

— Rien, je disais qu'il va falloir nous décider à faire quelque chose.

— Le soleil ne va pas tarder à se coucher. Attendons un peu. Nous verrons bien ce que les Lémuriens vont faire. Vous me rappelez s'il y a du nouveau. D'accord ?

*
**

174

Lémy Danger avait espéré que les croiseurs redécolleraient avant la tombée de la nuit. Le chasseur n'était pas assez important pour qu'ils immobilisent douze croiseurs à cause de lui. Mais l'incident du bâtiment de contrôle les avait suffisamment agacés pour qu'ils veuillent à tout prix éclaircir l'affaire. Les croiseurs avaient allumé des projecteurs qui illuminaient le chasseur comme en plein jour.

Le commandant de la formation avait envoyé des renforts dans le bâtiment de contrôle afin que ses hommes en explorent minutieusement le moindre centimètre carré.

De son côté, Lémy n'avait pas à se plaindre. Le *Helltiger* était plongé dans une zone d'ombre. Personne ne le découvrirait tant qu'il resterait là. S'il partait, les Lémuriens n'auraient de cesse de le retrouver.

— Tu ne commences pas à trouver le temps long dans ton salon ? s'inquiéta L'Émir par minicom.

— Ce n'est pas trop confortable, admit Lémy, mais j'ai tout ce qu'il me faut.

— Il y a une petite soute à l'arrière du chasseur, reprit le mulot. Il y a assez de place pour le *Helltiger*. Jamais ils ne pourront rattraper un Mosquito.

— Le *Helltiger* non plus ! protesta le Sigan, de nouveau froissé dans son orgueil. Mais pourquoi pas, après tout. Le seul problème, c'est de savoir comment je pourrais vous rejoindre sans qu'ils s'en aperçoivent.

— Tu ne vas quand même pas passer toute ta vie collé sur ce croiseur, de toute façon, non ?

— Si j'étais le commandant lémurien, dit Anderson, mon plan serait très clair. Il ne sait pas qu'il a affaire à un téléporteur. À sa place, j'annulerais le champ de force du chasseur et j'attendrais à proximité que l'équipage se manifeste. Il n'y a pas de meilleur appât pour nous faire sortir. C'est logique, non ?

— Tout à fait, mais c'est presque trop beau pour être vrai, maugréa L'Émir. D'un autre côté, les Lémuriens sont des hommes comme vous, Nils. Le commandant pourrait réagir comme vous dites.

— Il suffit d'attendre, nous verrons bien. S'il veut nous avoir, le commandant n'a pas d'autre solution de toute façon.

— Admettons qu'ils fassent comme vous dites. Qu'est-ce que nous faisons, nous ? voulut savoir le mulot.

— Nous nous téléportons à l'intérieur et nous décollons aussitôt. Nous contournons une partie de la planète en rase-mottes, nous récupérons Lémy au passage et nous voilà tirés d'affaire ! S'il prennent une retard de trente secondes seulement, ils ne réussiront plus à nous localiser.

— Merveilleux ! lança L'Émir, toujours sceptique. À condition que vous ayez vu juste quant à la mentalité des Lémuriens. S'ils ne déconnectent pas le champ de force ou s'ils emmènent le chasseur, il ne nous restera plus qu'à piller les grands magasins pour manger.

— Je vous avertirai s'ils déconnectent le champ de force, promit Lémy. Le chasseur est juste sous mes yeux. Vous pouvez dormir un peu, si vous voulez.

— Je vais aller faire un tour de l'autre côté de la planète pour essayer de trouver un point de rendez-vous avec Lémy, dit le mulot au major.

Le mulot se téléporta sans attendre sa réponse.

— Me revoilà tout seul ! maugréa Anderson. Si les Lémuriens arrivent, ils n'auront qu'à me cueillir.

— Allons, je suis là, moi ! le consola Lémy.

L'Émir se rematérialisa aux antipodes et entama aussitôt une chute vertigineuse. Il se stabilisa aussitôt par télékinésie et commença à descendre doucement.

Ce qu'il voyait au-dessous lui fit ouvrir de grands yeux. Il était au-dessus de l'unique océan de la planète. Il l'avait déjà observé depuis l'espace et savait qu'il était à peu près circulaire et mesurait dans les trois mille kilomètres de diamètre. Le plus étonnant, c'est qu'il s'était matérialisé à la verticale d'une île isolée, une île qui était artificielle !

Elle avait la forme d'un carré de quatre kilomètres de côté. Sa surface, métallique, abritait plusieurs bâtiments oblongs et d'étranges constructions qui se déployaient dans le ciel. Plus il descendait, plus L'Émir trouvait qu'elles ressemblaient à des antennes.

Une station de transmission pour le trafic interstellaire ?

Saisi par la curiosité, le mutant se téléporta sur la surface. Le sol était si propre que le métal paraissait avoir été poli une heure plus tôt. Il sentit une légère vibration à travers ses bottes.

— C'est vraiment bizarre, dit le mulot dans son micro. Lémy, tu m'entends ?

— Oui, qu'est-ce qu'il y a ?

— Je suis sur une île métallique au beau milieu de l'océan. Il y a des générateurs qui fonctionnent et d'étranges constructions à la surface…

Le mulot décrivit précisément au Sigan tout ce qu'il voyait.

— Cela pourrait être une station de transmission, comme tu le penses, mais il s'agit sûrement d'autre chose. Si j'ai raison, cela pourrait signifier que nous avons trouvé la solution de notre problème.

— Qu'est-ce que tu veux dire ?

— Rien, juste une supposition. Il faut que je me rende compte sur place. Je viens.

— Sans le *Helltiger* ?

— Mais non, avec, bien sûr ! Le champ de force est toujours là, mais les Lémuriens ont éteint quelques projecteurs. Je devrais pouvoir leur fausser compagnie sans me faire remarquer. Au milieu de l'océan, tu dis ? Je serai chez toi dans une heure.

— Et moi, je reste à me geler sur mon toit ! protesta Anderson.

— Il faut que quelqu'un surveille l'astroport, Nils. Je suis désolé, regretta L'Émir. En cas de problème, appelez-moi. Vous savez que je peux vous rejoindre aussitôt.

Tout en parlant, le mulot se promenait sur l'île métallique. Il éprouvait un curieux sentiment de malaise qui ne cessait de croître. Il avait l'impression que quelque chose de menaçant l'observait.

Il posa la main sur la crosse de son radiant pour se rassurer. Mais il n'y avait personne en vue. Les portes des bâtiments étaient toutes fermées et il n'y avait pas de fenêtres.

Sa curiosité attisée, le mulot se demanda ce qu'il y avait sous le plancher de métal.

— Tu ne dis plus rien ? s'étonna Lémy. J'ai réussi à m'éloigner sur mes antigravs. Apparemment, ils n'ont rien remarqué.

— Dépêche-toi. Cette île me donne froid dans le dos.

— Encore cinquante minutes. Je suis obligé de voler au ras du sol pour échapper à leur détecteur.

— Je t'attends. Toujours rien de nouveau, Nils ? reprit L'Émir.

— Non, l'écran est toujours là.

— Tenez-moi au courant. Terminé.

Le mulot s'était arrêté devant la porte de l'un des bâtiments. Il se concentra un instant et se téléporta juste de l'autre côté.

Le spectacle qui l'attendait faillit lui arracher un cri de surprise.

Il se trouvait sur une galerie close par un grillage métallique. De l'autre côté, en contrebas, s'étendait une salle bourdonnante d'activité. Des câbles brillants gros comme le bras sortaient du sol par faisceaux pour alimenter de grosses machines aux parois totalement lisses. La halle était divisée par toute une série d'échelles métalliques verticales qui reliaient entre elles d'autres galeries. La halle était si grande que, même en se penchant, le mulot ne réussit pas à en voir l'extrémité.

Soudain, il s'aperçut qu'il n'était pas seul. Des dizaines de robots se déplaçaient dans le complexe, contrôlaient ou réparaient des machines. Aucun d'eux ne semblait avoir remarqué son arrivée.

Ça ne peut pas être une station de transmission, se dit-il. *Pourquoi, alors que les Lémuriens ont quitté la planète, l'île continue-t-elle à fonctionner ?*

L'un des robots s'avançait vers lui. Le mulot s'écarta pour le laisser passer. L'œil cristallin de la machine ne se détourna même pas pour l'observer.

Il appela Lémy Danger et Anderson pour les informer de sa découverte.

— Je m'en doutais ! s'exclama le Sigan. C'est la station d'énergie planétaire ! Tu sais où tu es, L'Émir ? Sur un réacteur nucléaire à l'échelle planétaire. C'est l'eau de l'océan qui sert de liquide de refroidissement.

— Et comment transmettent-ils l'électricité qu'ils produisent ? Il n'y a pas de câble, rien.

— Ils connaissent déjà la transmission d'énergie à distance sans connecteur, expliqua Lémy. Les curieuses constructions que tu as vues sont bien des antennes. Au lieu de transmettre des ondes radio ou des hyperondes, elles transportent de l'énergie, c'est tout. Des antennes semblables sont chargées de la récupérer sur le continent… Je crois que les Lémuriens ne vont pas tarder à avoir une surprise.

L'Émir se doutait de ce que Lémy allait lui dire, mais il demanda quand même :

— Pourquoi ?

— Allons, ne te fais pas plus idiot que tu n'es ! Tu penses à la même chose que moi. À quoi toutes leurs mesures de sécurité pourront-elles servir aux Lémuriens si nous coupons toute l'alimentation en énergie de la planète ? Car c'est exactement ce qui va se passer. Nous allons provoquer un court-circuit géant dans cette centrale géante !

— Alors, dépêche-toi d'arriver, conclut le mulot. Je trouve que les robots commencent à me regarder d'un drôle d'air.

— Tu n'as qu'à leur proposer des carottes pour les amadouer ! s'exclama Lémy Danger en éclatant de rire.

Le mulot était ressorti pour attendre le *Helltiger* sur la plate-forme extérieure. Le navire miniature atterrit à quelques mètres du mutant et Lémy Danger se contorsionna pour s'extraire du cockpit.

Ils tombèrent dans les bras l'un de l'autre après que L'Émir eut pris la précaution de soulever le petit homme.

— Alors, ça fait du bien de sortir de ta coque de noix ? Cela doit faire deux jours que tu traînes dedans, non ?

— On s'en sort, on s'en sort, assura le Sigan.

— Qu'est-ce que c'est que ce décor bizarre ? La Sécurité embauche des peintres abstraits, maintenant ?

— Mais non, c'est un camouflage.

— Je vais nous ouvrir une porte par télékinésie, expliqua le mulot en se retournant vers les bâtiments. J'ai déjà essayé en t'attendant. Les robots s'en moquent complètement.

Surpris, L'Émir vit Lémy retourner vers le *Helltiger*.

— Tu ne viens pas ? s'étonna-t-il.

— Si, mais avec mon fidèle vaisseau. La porte est assez grande pour nous laisser passer, non ?

Stupéfait, le mutant opina du chef sans savoir quoi répondre. Il ouvrit la porte. Le *Helltiger* se souleva sans bruit et entra dans la halle.

— Attends-moi ici, je fais un vol de reconnaissance, dit Lémy.

Il vit le navire miniature longer les allées, ralentir au-dessus de certaines machines et poursuivre sa course jusqu'à ce qu'il disparaisse. Les robots vaquaient à leurs occupations comme s'ils recevaient tous les jours la visite de mulots et de navires miniatures pilotés par des hommes tout aussi miniatures.

Le Sigan commentait sa visite par radio.

— Je confirme tout ce que je t'ai dit avant d'arriver. Il va nous suffire de dériver la production pour assécher toutes les installations de la planète. Je pourrais régler tout ça très vite. Donc, soit tu vas chercher Nils, soit tu le rejoins pour récupérer le chasseur. À toi de voir.

— Comment vas-tu faire pour bloquer la transmission de l'énergie ? s'enquit le mulot.

— Mon grand, n'oublie pas que je suis un agent spécial de l'O.M.U. Je m'occupe d'une centrale comme celle-là rien qu'en levant le petit doigt !

L'Émir avait trouvé son maître ès vantardises. Il grimaça. L'essentiel, c'était que Lémy fasse ce qu'il avait dit.

— Je suis dans la centrale de régulation. Il me suffira d'une seule bombe pour paralyser la production pendant une demi-heure, avant que les robots ne réparent.

— Cela suffira. Je vais rejoindre Anderson et attendre que le champ de force s'éteigne. Nous reviendrons ici aussitôt pour charger le *Helltiger*.

— Dans cinq minutes exactement, il n'y aura plus d'énergie sur la planète. Tu peux y compter.

L'Émir n'eut même pas besoin de fermer les yeux pour imaginer Anderson sur son toit, au beau milieu de la nuit. Il se téléporta avec un sourire de l'autre côté de la planète.

Le major n'avait pas réussi à dormir. Il sursauta en voyant le mulot sortir de l'ombre.

— Le champ de force est toujours là, dit-il.

— Plus pour longtemps. Vous avez écouté ce qui s'est passé sur l'île ?

— Oui.

— Alors donnez-moi la main, Nils. Nous nous téléporterons immédiatement. Dès que nous serons à bord, je veux que vous nous fassiez un départ en catastrophe comme vous ne l'avez jamais imaginé en rêve.

Anderson hocha la tête et fixa son regard sur le scintillement du champ de force. Au bout de deux minutes, ses yeux commencèrent à pleurer tant il le regardait intensément.

— Ça y est ! lança soudain L'Émir.

Le major avait répété mentalement tous les gestes qu'il aurait à effectuer. Il enclencha le propulseur, activa la fermeture du cockpit, lança les antigravs, annula la procédure obligatoire de check-up, plaça le cap à 45 degrés et poussa son levier d'accélération à fond. Le tout ne lui avait pas pris plus de dix secondes.

Avec un sifflement strident, le Mosquito bondit vers le ciel.

L'astroport était déjà loin derrière eux et ils baignaient dans la lueur du soleil levant quand L'Émir, collé à son siège malgré les anti-g, réussit à dire :

— Bravo, Nils, excellent !

Une fois dans l'espace, Anderson entama la manœuvre de contournement de la planète et vérifia que les organes vitaux du chasseur étaient en ordre.

Ils se posèrent sur l'île moins de dix minutes avant leur départ de l'astroport.

— Vous avez fait vite ! s'étonna Lémy.

Anderson s'activait déjà pour faire entrer le *Helltiger* dans la petite soute à l'aide d'un projecteur antigrav.

— Hé, doucement, ce n'est pas un sac de patates ! protesta le Sigan.

— Je ne sais pas pourquoi, mais j'ai l'impression que tu y tiens, à ton esquif ! ironisa L'Émir.

— Cela me fait mal au cœur de rejoindre le *Krest III* à bord du chasseur, c'est tout, confia le Sigan. C'est comme si j'avais eu besoin d'aide…

— Mais non, puisque, au contraire, c'est toi et ton *Helltiger* qui nous avez sortis de la panade. D'ailleurs, je le raconterai à Perry…

— C'est vrai ? flûta le Sigan.

— Puisque je te le dis.

— Je me fais du souci pour les jumeaux et Tako Kakuta, enchaîna Lémy sans transition.

184

Nils Anderson, qui programmait le vol de retour, les interrompit.

— Nous allons devoir faire un nouveau décollage en catastrophe pour pouvoir passer presque immédiatement en vol linéaire. Comme ça, les Lémuriens n'y verront que du feu.

— Installe-toi sur mes genoux et accroche-toi bien, dit L'Émir au Sigan en s'installant.

Ils regagnèrent l'espace sans que leurs détecteurs enregistrent le moindre écho d'un croiseur lémurien. Tout s'était déroulé trop vite pour eux. La panne générale d'énergie, le décollage du chasseur, apparemment sans équipage et, enfin, sa réapparition fugitive de l'autre côté de la planète. Le commandant de la petite escadre, de très mauvaise humeur, donna l'ordre de rejoindre Kahalo. Il se demandait déjà comment il pourrait expliquer l'échec de leur opération à l'amiral Hakhat.

CHAPITRE VII

Anderson, qui avait confié les commandes au pilote automatique, s'endormit dans l'entrespace. Lémy Danger, décidément inséparable de son navire, s'était glissé dans la soute pour s'en rapprocher. L'Émir ronflait.

La sonnerie du pilote automatique les avertit une minute avant le retour du chasseur dans le continuum, à quelques minutes-lumière de Redpoint.

— Je me sens si frais que je pourrais repartir tout de suite sur Kahalo pour retrouver les jumeaux et Tako, affirma L'Émir.

— Parlez-en au Stellarque, lui conseilla Anderson. Il va de toute façon devoir y envoyer quelqu'un.

— Je crois que je ne vais rien dire, finalement, décida L'Émir.

Ils croisèrent d'abord l'île spatiale de Malok, puis l'immense sphère argentée du *Krest III* surgit dans l'espace. Le major envoya le signal de reconnaissance et le central déclencha la manœuvre de dockage.

Le mulot était trop impatient pour attendre qu'elle

soit finie. Il attrapa Lémy Danger, qui tenta en vain de protester, le mit dans la poche intérieure de son spatiandre et se téléporta.

Il se rematérialisa sur l'estrade de commandement, où Perry Rhodan était en train de suivre la rentrée du Mosquito d'Anderson sur un écran.

Le mulot toussota et tenta de se mettre au garde-à-vous quand le Stellarque, surpris, se retourna.

— Agent spécial L'Émir au rapport, commandant.

Rhodan sourit, mais son visage se figea quand il remarqua le mouvement qui agitait le haut du spatiandre du mulot. Avant qu'il ait pu crier un avertissement, un petit visage ébouriffé surgit sous le menton du mulot. Une main tout aussi minuscule surgit et se posa à l'horizontale sur le front du lilliputien.

— Général Danger à vos ordres, commandant !

Perry Rhodan avait reconnu le Sigan. Il réalisa tout de suite ce que sa présence signifiait.

— Lémy ! s'écria-t-il. Les jumeaux ont réussi !

— C'est toi qui l'as trouvé ? demanda-t-il à L'Émir.

— En fait, pas vraiment, avoua le mulot. Ce serait même plutôt le contraire. Je vais te raconter…

— Plus tard, L'Émir. Vous êtes venu seul, Lémy. Où sont Rakar et Tronar Woolver ?

Le Sigan battait des jambes pour essayer de sortir du spatiandre du mulot. Rhodan le prit avec précaution et le déposa sur le pupitre de commandement.

— Les Coureurs d'ondes sont revenus dans le passé avec moi et Tako Kakuta. Nous avons été attaqués par la flotte lémurienne lorsque nous nous sommes rematérialisés. Notre corvette a été détruite et j'ai réussi à m'en sortir en faisant le mort avec le *Helltiger*. Je ne sais pas où sont les jumeaux et Tako. Ils devaient essayer de rejoindre Kahalo pour éliminer l'agent temporel, mais je ne suis pas sûr qu'ils aient survécu à l'explosion de la *R-10*.

— Nous allons envoyer quelqu'un sur Kahalo pour les retrouver, dit Rhodan. Ils courent un grave danger.

— Commandant, puis-je me permettre une question ? enchaîna Lémy en bombant le torse.

— Je vous en prie, Lémy.

— Aviez-vous pensé à moi pour cette mission ? Nous étions dans le même bateau et j'aimerais les retrouver. D'ailleurs, je crois que mon ami L'Émir avait également l'intention de se porter volontaire pour cette mission. N'est-ce pas, L'Émir ?

— Bien sûr, répondit le mulot sans enthousiasme excessif.

— Très bien, nous en reparlerons. Pour l'instant, j'aimerais surtout entendre votre rapport sur ce qui se passe dans le lointain futur d'où vous venez. J'imagine que vous avez vu Bully et qu'il vous a chargé d'un message pour moi.

— En effet, commandant.

— Venez dans ma cabine, vous avez tous deux sûrement besoin d'un remontant. J'aimerais également que le major Anderson et tout l'état-major assistent à la réunion, ajouta Rhodan en se tournant vers Cart Rudo.

—Nous arrivons, promit le commandant du *Krest III*.

Perry Rhodan, le Sigan et le mulot se mirent en route. Arrivés devant l'appartement du Stellarque,

L'Émir s'arrêta soudain et se tourna vers Perry Rhodan.

— Au fait, Perry, tu es bien sûr que tu as du jus de carotte ?

Achevé d'imprimer en mai 1996
sur les presses de l'imprimerie Bussière
à Saint-Amand (Cher)

— N° d'imp. 897. —
Dépôt légal : mai 1996.
Imprimé en France